Carl-Fürstenberg-Anekdoten

CARL-FÜRSTENBERG-ANEKDOTEN

Ein Unterschied muß sein

Gesammelt und erzählt
von
Hans Fürstenberg

Sonderausgabe für die Kunden und Geschäfts-
freunde der BHF-Bank

ECON Verlag
Düsseldorf · Wien · New York

INHALTSVERZEICHNIS

I.
EIN
ERNSTHAFTER
CARL FÜRSTENBERG

Als mein Vater Carl Fürstenberg mir vor fünfzig Jahren die Erlaubnis gab, sein Leben darzustellen, wünschte er sich eine Schilderung seines großen Lebenswerkes als Bankier. Mein Buch erschien 1930 bei Ullstein in Berlin unter dem Titel: Carl Fürstenberg, Erinnerungen eines deutschen Bankiers.

Schon damals waren viele Fürstenberg-Anekdoten im Umlauf, aber keine von ihnen erschien in meinem Buch. »Ich wünsche nicht«, so hatte mir mein Vater gesagt, »als ein Pallenberg auf die Nachwelt überzugehen...« – Das ist so lange her, daß junge Leser vielleicht den Namen nicht mehr kennen: Pallenberg war der Beste unter den Komikern der Bühne jener Zeit. Er allein hatte der »Commedia dell'arte« die Kunst des Improvisierens abgelauscht und brachte jedermann zum Lachen, indem er aus dem Stegreif erfand.

Nun, Carl Fürstenberg hatte nichts von einem Komödianten, wohl aber waren seine Aussprüche improvisiert. Ein Gespräch mit ihm enthielt in der Regel eine witzig-spitze Bemerkung. Der Zuhörer mußte sie aus der Unterhaltung herauszuschälen wissen, um eine »Anekdote« zu entdecken. Ich werde immer wieder gebeten, als Kronzeuge die Anekdoten meines Vaters herauszugeben. An das Wort über Pallenberg denkend, habe ich lange gezögert. Dann ließ ich mich einst überreden. Das war aus einem Anlaß, den der alte Herr selbst gebilligt hätte, nämlich dem 100-Jahres-Jubiläum seiner geliebten Bank, der BHG. »100 Anekdoten«, so hieß der kleine Privatdruck, der für die Gäste des damals, 1956, gegebenen Empfanges erschien und heute unauffindbar sein dürfte.

Wieder ging fast ein Vierteljahrhundert vorbei. Mußte ich damals befürchten, daß diese Witze verstaubt wirken würden, so läßt sich heute nicht gut bestreiten, daß sie immer noch kursieren, immer noch Heiterkeit und eine Nachfrage nach mehr wachrufen: der große Bankier Carl Fürstenberg ist, im Gegensatz zu so manchen anderen Helden der Finanz, unvergessen geblieben, und sein Esprit trägt sicherlich dazu bei.

Er war 1850 geboren, und heute sind die Anekdoten fast ein Beitrag zur Geschichte des 19ten Jahrhunderts, also historisch. Und dennoch, ja dennoch empfände ich eine leichte Hemmung, Carl Fürstenberg als Witzbold darzustellen, ohne gleichzeitig eine ernsthafte Seite zu schildern. Das kann ich nicht auf dem Gebiet des Bankwesens tun, denn das geschah bereits: bis 1914 in dem erwähnten Werk und dann in meinen eigenen »Erinnerungen« (bis 1933) mit dem Untertitel »Carl Fürstenbergs Altersjahre«. Jedoch gibt es einen anderen Aspekt, der unbekannt geblieben ist, nämlich sein stets lebendiges Interesse für Außenpolitik.

Ich schreibe nicht »Politik« schlechthin, weil Carl Fürstenberg durchaus neutral bleiben wollte. Insbesondere blieb er der Parteipolitik fern, denn er meinte, daß eine Bank sich da nicht einzumischen habe. Mit der ganzen Oberschicht jener Zeit zählte er zu den bedingungslosen Anhängern des Fürsten Bismarck, und er konnte diese Anhänglichkeit auf Kenntnisse stützen. Er, der gewiß kein Büchermensch war, besaß eine ungefähr vollständige Bismarck-Bibliothek, und er hatte sie gelesen.

Es ist mir nicht unbekannt, daß es seit dem ersten

verlorenen Weltkrieg und dem Sturz des Hauses Hohenzollern zum guten Ton gehört, Bismarck schlechtzumachen. Ich habe nicht die Absicht, mich in diese Polemik einzumischen, aber mir will scheinen, daß die ablehnenden Urteile sich eher gegen den Bismarck-Mythos richten als gegen den Menschen selbst. Da es hier ausschließlich meine Aufgabe ist, die Ansichten meines Vaters zu schildern, fasse ich sie dahin zusammen, daß er den Fürsten nicht als den »Eisernen Kanzler« sah, als den Mann des Säbelrasselns, als den Helden mit dem Kürassierhelm und mit den hohen Reiterstiefeln. Ohne dieses Kostüm, so meinte Fürstenberg, hätte Bismarck sich in Preußen nicht durchsetzen, nie an der Macht bleiben können. Hinter dieser Figur glaubte er den erstklassigen Diplomaten zu erkennen, den Schöpfer der sozialen Fürsorge, den Erfinder der Verfassung des Kaiserreichs mit ihrem Akzent auf dem Bundesrat.

Hatte sich Wilhelm I. einer Art Vormundschaft durch den Junker Bismarck freiwillig und dankbar gefügt, so hatte Wilhelm II. ihn alsbald entlassen. Hiermit setzte eine Regierungsform ein, die S. M. selbst als feudal empfand, während sich in Deutschland keine Kräfte ernsthaft bemerkbar machten, die imstande gewesen wären, eine Demokratie zu erzwingen. Als Fürst Bülow es schließlich wagte, eine unbedachte Geste des Kaisers zu kritisieren, wurde er entlassen (»Kaiser-Interview«).

Ich habe in den Carl-Fürstenberg-Erinnerungen zu schildern versucht, wie sich Berlins gesellschaftliches Leben vor hundert Jahren, ein Jahrzehnt vor der Kaiserkrönung Wilhelms I., gestaltete: Die deutsche Hauptstadt wurde im Jahr 1878 der Mittelpunkt der europäischen Politik. Nach Abschluß des Russisch-Türkischen Krieges tagte hier der Berliner Kongreß. Bismarck war, im Hinblick auf seine vermittelnden Bemühungen während der kriegerischen Verwicklungen, zum Vorsitzenden des Kongresses ernannt worden. Die Wahl seiner Person, noch mehr aber vielleicht die des Verhandlungsortes, ließ die schnell erworbene Machtstellung Deutschlands auf dem Kontinent deutlich genug in Erscheinung treten. (S. 89 der Carl-Fürstenberg-Erinnerungen.)

Und wie verhielt sich die Gesellschaft? Nun, auch dieser Kongreß tanzte: »Berlin sonnte sich im Licht der großen politischen Veranstaltung, deren Schauplatz es 1878 war. Nun war es also wirklich Weltstadt geworden: ...Große Empfänge, Bälle und Diners fingen an, die früheren gutbürgerlichen Sitten des Zusammenseins abzulösen...« (S. 90).

Als Wilhelm II. zehn Jahre darauf die Regierung übernahm, wurde es ohne Bismarck in Berlin bald wieder ruhig, obgleich es ein gewichtiger politischer Schwerpunkt blieb. Eine ortsansässige Hofgesellschaft gab es kaum. Im Gegensatz zu alten Metropolen wie Rom, Paris, Wien oder London gab es in Berlin nur ganz vereinzelte Adelspaläste. Die preußischen Adligen kamen zu den seltenen Hoffesten von ihren Herrensitzen, um dem Herrscher pflichtschuldigst ihre Aufwartung zu machen. Dann reisten sie wieder ab.

Eine andere Frage war es, wer »hoffähig« war. Da wären zunächst die hohen Beamten zu nennen, die

»Wirklichen Geheimen Räte« mit dem Titel Exzellenz. Botschafter, andere Diplomaten, wichtige Mitglieder von Ministerien waren gleichfalls zugelassen. Dazu gesellten sich gelegentlich nichtpreußische Adlige, vor allem aber die Schar der Gardeoffiziere, insbesondere die höheren Chargen. Bürgerliche waren grundsätzlich ausgeschlossen. Selbst Bleichröder, der Bismarck doch besonders nahegestanden hatte, gehörte nicht zur Hofgesellschaft.

Wie aber war diese gestaltet, wenn es nicht gerade einmal ein Hoffest gab? Nun, da wurde der Kreis erstaunlich eng und bestand vor allem aus den Hofchargen der kaiserlichen Familie und aus einigen Freunden aus dem Hochadel oder aus Offizierskreisen. Wilhelm II., der sich nach Bismarcks Abtritt durchaus als Herrscher der Deutschen empfand, holte sich bei Mitgliedern eines kleinen bürgerlichen Kreises gelegentlich Rat. Auch Gelehrte wurden hin und wieder berufen. Andrerseits gab es zwischen den Angehörigen des Hofes Intrigen und Eifersucht. Die Kritiker dieses Systems nannten die nächste Umgebung von S.M. »Kamarilla« und sahen, wie man weiß, in dem Fürsten Philipp von Eulenburg einen Schuldigen. S.M. mußte ihn fallenlassen.

Als er in späteren Jahren liberaler wurde und einzelne Wirtschaftsführer, darunter auch Carl Fürstenberg, zu gelegentlichen Frühstücksgesprächen zu Hofe lud, hatte dies weder etwas mit Hofgesellschaft zu tun noch im eigentlichen Sinn mit Politik. Es darf aber nicht überraschen, daß derartige Begegnungen mit einem Halbgott wie S.M.

nicht selten politisch ausgelegt wurden. Politik und Wirtschaft lassen sich eben nicht trennen.

Der Zeiger der Geschichte rückte vor, die Jahrhundertwende wurde überschritten, und wir nahen uns dem Höhepunkt der Macht- und Prunkentfaltung der kaiserlichen Regierung im letzten Jahrzehnt vor dem Kriege. Berlin war inzwischen reich geworden, die Bezeichnung »Weltstadt« war stärker berechtigt als vor dreißig Jahren. Eine ganze Anzahl von Industriellen, Kaufleuten und Bankiers war zu Geld und Ansehen gelangt, viele prächtige Haushalte waren errichtet worden, aber die seltenen preußischen Adligen in Berlin waren meist Beamte oder Offiziere, sie waren oft verarmt und dennoch gern Gäste bei denen, bei denen sie es sein durften – denn auch das war von Hofs wegen zensiert.

Es gab bei den Reichen lange nach dem Kongreß von 1878 zahlreiche Diners und Empfänge, die die Ärmeren so gut erwiderten, wie sie es konnten. Aber die Kluft zwischen diesem bürgerlich-geselligen Berlin und der eigentlichen Hofgesellschaft war eher noch gewachsen.

Und wahrscheinlich war es gerade deshalb, daß die bürgerlichen Kreise in dem Geschehen um S.M. und seine Politik ihr wichtigstes Gesprächsthema suchten und fanden. Es darf nicht vergessen werden, daß der Kaiser selbst tabu war und daß die meisten andern geläufigen Themen dem guten Ton zuwiderliefen. Weder durften die Gäste über Gesundheit sprechen noch über Geschäfte, noch über Essen, noch gar über Steuern, noch, bis auf wenige Worte, über das Wetter. Ein Interesse am Sport bestand noch kaum. Kunst und Literatur waren eher

Themen für Damen und galten als etwas effemi-
niert. Auch über Familie plauderten eher die Frau-
en. Die Herren konnten untereinander über ihren
Beruf reden oder Witze erzählen. Danach blieb ein
Thema, nämlich Hofklatsch mit Außenpolitik
vermischt, während Innenpolitik selten als Ge-
sprächsgegenstand galt. Sie und Religion waren ab-
geriegelte Gebiete.

Andere Zeiten, andere Sitten! In dem audiovisuel-
len Zustand der Jetztzeit, in ihrer steten, schnellen,
nicht unbedingt richtigen Versorgung mit Informa-
tion, in unserem Zeitalter der Statistiken und Um-
fragen ist es schwer, sich ein Bild davon zu machen,
wie sich politische Gedanken mit Hilfe von Gesell-
schaftsschichtungen durchsetzen konnten. Hierfür
ergibt sich gerade bei Carl Fürstenberg ein hervor-
ragendes Beispiel.

II.
CARL-FÜRSTENBERG-
ANEKDOTEN

Es geht auch anders

Ein Kunde der Bank beehrte Carl Fürstenberg mit langen Besuchen. Unter der Hand versuchte er dabei, sich Ratschläge für die Börse zu beschaffen. So ließ er durchblicken, daß er einen größeren Posten Harpener Aktien zu verkaufen gedächte. Fürstenberg, der nicht zugehört hatte, meinte dazu: »Ja, das ist ein erstklassiger Kauf.« Darauf der Kunde: »Aber, Herr Fürstenberg, ich habe doch über einen Verkauf sprechen wollen.« Fürstenberg nickte mit dem Kopf und bemerkte: »Auch nicht schlecht.«

Der neue Feind

Fürstenberg wußte, daß seine Bemerkungen manchmal boshaft klangen. Als jemand ihn darauf aufmerksam machte, sagte er: »Lieber einen Freund verloren als ein Bonmot.« Das meinte er im Grunde nicht. Er besaß treue Freunde, aber ein guter Streit tat ihm wohl. Als einmal jemand starb, mit dem er viele Händel gehabt hatte, seufzte er: »Schade, jetzt muß ich mir einen neuen Feind suchen.«

Stille Reserven

Eine Industriegesellschaft aus dem Kreise der Berliner Handels-Gesellschaft erlitt den Verlust einer großen Summe, die ein ungetreuer Beamter unterschlagen hatte. Carl Fürstenberg, der Vorsitzer des

Aufsichtsrates war, wurde in der Hauptversammlung angegriffen, weil dieser Verlust nicht in der Gewinn- und Verlustrechnung ausgewiesen wurde. Fürstenberg erwiderte, daß es im Interesse der Gesellschaft gelegen habe, ihn aus den stillen Reserven abzuschreiben. Das trug ihm die noch erregtere Anfrage ein, wie groß diese stillen Reserven seien. Vergeblich warf Fürstenberg ein, daß der Aktionär dem Unternehmen doch nicht zumuten wolle, dieses Geheimnis preiszugeben. Dann sagte er: »Die stillen Reserven betragen also 3 Mark 75.« Allgemeines Gelächter schloß die Diskussion.

Die wissen es noch nicht

Die Mark war nach dem ersten Kriege stark im Abgleiten, als ein unzuverlässiger Kunde zu Fürstenberg kam und einen größeren Kredit beantragte. Fürstenberg antwortete ihm, daß seine Bank das nicht machen könne, und begründete das mit der Aussage: »Wir sind pleite.« »Wie können Sie so etwas sagen«, antwortete der Besucher. Da wies Fürstenberg mit pathetischer Gebärde auf das gegenüberliegende Gebäude einer anderen Großbank und gab den guten Rat, den Kredit dort zu verlangen. Das Erstaunen des Kunden wuchs: »Sie werden mir nicht sagen, daß die etwas machen können, was Ihnen unmöglich ist?« Aber Fürstenberg blieb kühl: »Natürlich sind die auch pleite, aber sie wissen es noch nicht.«

Gebet im Hotel

Fürstenberg war bei schweizerischen Geschäfts-
freunden zum Abendessen geladen. Der Gatte war
ein weitgereister Herr, die Hausfrau alteingesessen
und ihrer Tradition getreu. Als man sich zu Tisch
setzte, wurde sie unruhig, warf ihrem Mann aufge-
regte Blicke zu und bemerkte, daß er noch nicht das
Tischgebet gesprochen habe. Da kam Fürstenberg
dem Bedrängten zu Hilfe: »Das macht wirklich
nichts, gnädige Frau, ich habe schon im Hotel gebe-
tet.«

Der Selbstmord

Eines Tages fuhr Fürstenberg mit der Bahn zu einer
Aufsichtsratssitzung. Der Träger stellte sein Ge-
päck in das Abteil eines überfüllten Zuges, in dem
eine Dame mit mehreren Kindern saß. Offenbar
wäre sie gern mit ihrem Nachwuchs allein geblieben und nahm Zuflucht zu einem alten Trick. Sie
sagte Fürstenberg, daß eines der Kinder an Typhus
erkrankt sei und sie ihm das mitteilen müsse. »Das
macht nichts«, antwortete Fürstenberg. »Ich
wollte ohnehin Selbstmord begehen.«

Ein Unterschied muß sein

Als nach dem ersten Kriege das Betriebsratsgesetz
in Deutschland eingeführt war und ein neuer sozia-
ler Geist wehte, rafften sich auch die getreuen

Bankdiener der Herren Geschäftsinhaber dazu auf,
dem Senior einen Wunsch vorzutragen. In aller
Höflichkeit verlangten sie, er möge sie nicht mehr
beim Vornamen rufen, sondern die Anrede »Herr«
gebrauchen. »Mit größtem Vergnügen«, erwiderte
Fürstenberg. »Ich muß aber eine Bedingung stellen:
Nennt Ihr mich von nun an Carl, ein Unterschied
muß sein.« Damit war das Anliegen begraben.

Ein Bett im Schlafwagen

Nach dem Kriege waren die Züge überfüllt, es war
schwer, Schlafwagen zu bekommen, und es wurden
nur Plätze zweiter Klasse verkauft. Es bedurfte ho-
her Protektion, um ein Abteil erster Klasse für sich
allein zu erhalten, wie es Fürstenberg bei seinen
vielen Reisen anstrebte. Als es ihm eines Abends
gelungen war, kam ein Neureicher im letzten Augenblick in den Zug, steuerte auf den ihm flüchtig
bekannten Fürstenberg zu und sagte: »Herr
Fürstenberg, ich sehe, Ihr Oberbett ist frei. Ich zahle
Ihnen jeden Preis, wenn Sie es mir überlassen.«
Nachdenklich blickte Fürstenberg ihn an. »Ich will
mir den Vorschlag überschlafen«, sagte er.

Die Gegend

Fürstenberg hatte gute Freunde in Österreich und
gehörte der Verwaltung einiger großer Gesellschaf-
ten an. In Berlin war man aber damals auf Wien
nicht gut zu sprechen. Als einmal eine allzu scharfe

Bemerkung fiel, sagte Fürstenberg beschwichti-
gend: »Was wollt ihr von den Leuten! Das Land ist
doch hauptsächlich Gegend.«

Der Niedergang

Fürstenberg war ein Anhänger der Donau-Monar-
chie. Die Orden, die ihm Kaiser Franz-Joseph ver-
lieh, gehörten zu denen, die ihm viel Freude berei-
teten, aber die Entwicklung in Wien nach 1919
konnte ihm nicht zusagen.
Nach einer stürmischen Unterhaltung im Verwaltungsrat der Großbank, dem er angehörte, fand er
sich allein. Der große Sitzungssaal lag im oberen
Geschoß. Ein hilfsbereiter Prokurist erkannte
Fürstenberg, führte ihn beflissen zum Fahrstuhl
und bemerkte selbstgefällig: »Ohne mich, Herr
Fürstenberg, wären Sie gar nicht heruntergekom-
men.« Da riß Fürstenberg die Geduld, und er
sprach: »Ich dachte, hier kommt alles von selbst
herunter.« Bald darauf hatte er den Posten einem
jüngeren Kollegen übergeben, nämlich seinem
Sohn.

Das Rätsel des Erfolges

Ein Mitarbeiter Carl Fürstenbergs war sehr ge-
scheit, machte aber wenig Gewinne. Bei einer Unterhaltung darüber fragte ein Freund den alten
Herrn, was denn dazu gehöre, um ein großer Bankier zu sein. Die Antwort lautete: »Die einen wis-

sen, aber können nicht; und die anderen können, aber wissen nicht. Bringen Sie mir einen, der kann und weiß: der ist ein gemachter Mann.«

Der General

Als von Bethmann-Hollweg zum Reichskanzler bestellt wurde, war er nur Hauptmann der Reserve. Das hätte bedeutet, daß er zu den meisten seiner Untergebenen aufzublicken habe. Um dem abzuhelfen, ließ ihn Seine Majestät über Nacht zum Generalmajor avancieren.

Das zitierte Fürstenberg gern als Beweis dafür, daß Bismarck niemals ohne den Kürassier-Helm zu Rande gekommen wäre.

Der Hausarzt

Fürstenberg hatte eine Vorliebe für ungewöhnliche Ärzte. Da er Professor Schwenninger, Bismarcks Hausarzt, nicht haben konnte, wählte er dessen Schüler, den Tessiner Dr. Bucci. Dann folgte Dr. Wilhelm Fliess, der in naher Beziehung zu Freud stand. Für Kinder und Angestellte aber sorgte der gute Hausarzt Dr. Meyer.

Der ließ sich eines Tages bei Fürstenberg melden, um diesem über das Befinden einer erkrankten Köchin zu berichten. Zerstreut erwiderte Fürstenberg: »Sagen Sie Dr. Meyer, heute gehe es nicht. Ich sei etwas leidend.«

Die Juden

»Die Juden«, sagte Fürstenberg, »sind das Salz der Welt. Kein Gericht schmeckt ohne Salz! Damit will ich nicht sagen«, fügte er lächelnd hinzu, »daß alles versalzen werden sollte.«

Die Rechnung

Ein Bekannter klagte bei Fürstenberg über einen Restaurateur und seine unverschämten Preise. »Ja«, lautete die Antwort, »der addiert immer das Datum mit.«

Kolonial-Reise

Der wenig elegante und nicht ganz arische Bernhard Dernburg wurde Kolonialminister Seiner Majestät. Als erstes beschloß er, eine Studienreise durch die afrikanischen Kolonien des Reiches zu machen, und Walther Rathenau bekam es fertig, mitgenommen zu werden.
Nach der Rückkehr sagte Fürstenberg zu Dernburg: »Sobald Walther dabei war, ist es seine Reise gewesen, nicht mehr die Ihre.«

Sorgende Hausfrau

In der Berliner Gesellschaft erregte Dernburgs Ernennung gewaltiges Aufsehen. Eines Abends führte

Fürstenberg Frau Elli von Schwabach, Frau des Bleichröder-Chefs Paul, zu Tisch. Seufzend sagte sie ihm: »Mit Dernburg ist es zu schwierig! Bisher mußte ich mir den Kopf zerbrechen, mit wem ich ihn einladen kann. Jetzt zerbreche ich mir darüber den Kopf, wen ich mit ihm einlade.«
Das sei, kommentierte Fürstenberg, kein Witz gewesen, sondern voller Ernst.

Der Adelige

Ein Teilhaber des angesehenen Amsterdamer Bankhauses Lippmann Rosenthal erhielt eine hohe, mit dem persönlichen Adel verbundene fremde Auszeichnung, durfte den Titel jedoch in Holland nicht führen. Die Grenzstation zwischen Belgien und Holland heißt Rosenthal. Fürstenberg nannte den Geschäftsfreund Herrn von und zu Rosenthal.

Erbschaft

Fürstenberg betonte gern, daß er Selfmademan sei. Nur einmal habe er geerbt. Ein Onkel, den er wenig kannte, vermachte ihm ein Haus.
Er hatte noch keine Zeit gehabt, sich das Gebäude anzusehen, als ihn ein Strafmandat der Danziger Polizeibehörde wegen Zuhälterei erreichte. Das Haus hatte eben nicht den besten Leumund. Postwendend schenkte es Fürstenberg seiner Vaterstadt Danzig.

Die Schönheit

Einer der sehr begüterten Mendelssohns heiratete eine junge Dame der Gesellschaft, die als sehr schön galt. Nach jahrelanger Ehe hatte sie bedeutende Gaben entwickelt, insbesondere als Kunstsammlerin, aber als schön konnte sie kaum gelten.

Dazu bemerkte Fürstenberg: »Die ist so reich, daß sie das nicht mehr nötig hat.«

Rote Zahlen

Die Brüder Mannesmann waren geniale Erfinder, aber ihr Röhrenwerk wollte nicht florieren, obgleich die BHG und die Deutsche Bank ihnen Hilfe gewährten. Es wurde verhandelt, und während einer Unterbrechung entführte Fürstenberg den Geheimrat Steinthal zu einem seiner Spaziergänge.

Da entdeckten sie ein Feld mit einer Unmenge von Fehlgüssen. Wieder am Verhandlungstisch unterbrach Fürstenberg einen Vortrag mit der Frage: »Bitte, wo ist der Friedhof verbucht?« Von dann an sollte es aufwärts gehen.

Kaffee-Tratsch

Fürstenberg war schon alt, als er sich dazu bereit fand, einen durchreisenden amerikanischen Großbankpräsidenten zum Mittagessen zu empfangen. Er sprach kein Englisch und tat es nicht gern. Das

prunkvolle Eßzimmer in seiner Wohnung in der Bank bildete den Rahmen, und der würdige alte Butler überwachte die Zeremonie. Da ertönte von einem Herrn des Gefolges an ihn der Ruf:
»Waiter, bring me some coffee.« Das war für Fürstenberg das Ende der Präsidenten.

Bank-Kommissionen

Eine bescheidene Bank rechnet eine Provision von $^1/_8$%. Nur selten erniedrigt sie auf $^1/_{16}$%. Eine befreundete Bankfirma versuchte immer weiter abzuhandeln. »Gut«, meinte Fürstenberg, »geben wir denen einen Schnaps mehr«, und nannte sie von dann ab das Vierundsechzigstel.

Berlin – Paris

Jules Huret hieß der französische Journalist, der in Hast Bücher über europäische Hauptstädte verfertigte. Als er in Berlin ankam und bei Fürstenberg seinen Besuch abstattete, urteilte dieser über ihn wie folgt:
»Huret schreibt, daß die Berlinerinnen groß und rothaarig sind und in violetter Kleidung erscheinen, wenn er am Ausgang des Bahnhofs Friedrichstraße eine solche Dame gesehen hat.«

Der Spekulant

Die Erklärungen zur Einkommensteuer waren damals einfacher als heute. Fürstenberg erhielt aber die seine vom Finanzamt mit der Anmerkung zurück: »Wir vermissen die Spekulationsgewinne.« Fürstenberg schrieb daneben: »Ich auch«, und sandte dies an die Behörde zurück.

Hauspost

Seiner schwierigen Anfänge wohl bewußt, besaß Fürstenberg keinen persönlichen Ehrgeiz und zog es vor, daß seine schöne polnische Frau Aniela ihm ein großes Haus führte, eines der glänzendsten der Hauptstadt. Sie waren einander innig ergeben, aber beide konnten heftig werden, wenn sie sich nicht einig waren. Da kam Fürstenberg auf die Idee, sich in solchen Fällen lieber zu schreiben, und der Sohn Hans war nicht selten derjenige, der die Billets zustellte. Nie wieder fiel ein böses Wort.

Geschmacksache

Nein, Fürstenberg liebte das »Moderne« nicht. Nietzsche, der nach seinem Tode zu höchsten Ehren gelangte, lehnte er ab. Zarathustras Lehre von der ewigen Wiederkehr summierte er in dem rätselhaften Satz: »Fatinitza, es ist alles schon dagewesen«, den er oft wiederholte. Gerhart Hauptmanns »Der versunkene Brunnen« fand er lächerlich. Sein in Berlin so erfolgreiches Stück »Und Pippa tanzt« fertigte er als »Pi-pa-po« ab. Und als Reinhardt in seinen Kammerspielen »Das Familienfest« aufführte, kehrte er ehrlich entsetzt nach Hause zurück. Immer wieder mußte Frau Aniela, die modern eingestellt war, die Augen zum Himmel wenden.

Musikalisches Intermezzo

In der Musik hielt es Fürstenberg mit Mozart, während Frau Aniela auf Richard Wagner schwor. Wenn Fürstenberg sie necken wollte, behauptete er, daß der Knabe Parzival im Nachthemd auf der Bühne erscheine, daß Siegfried Wickelgamaschen aus Kaninchenfellen trage und die Walküren fortwährend Hü-hotte-hü schrien, was bekanntlich das Ermunterungswort der Berliner Droschkenkutscher für ihre alten Gäule war. Wieder hob Frau Aniela ihre Augen gen Himmel.

Eichkätzchen-Vater

Als die Fürstenbergs ihren Sommersitz im Grunewald aufschlugen und noch keine Autos rollten, war der gesamte Wald kaiserliches Jagdrevier. In der Nähe der Villa mündete die Königsallee auf ein Wildgatter, das diesem den Ausgang verwehrte, gelegentlichen Kutschen und Kremsern jedoch Zutritt gewährte. Es wurde von einem ältlichen Förster mit buschigem, roten Bart bedient. Fürstenberg

hatte ihm einen Namen gegeben. Er hieß bei ihm:
»Der Eichkätzchen-Vater«.

Der Gasometer

Die Kinder waren noch klein, als Fürstenberg sie an
Sonntagen nach seinem geliebten Grunewald-Besitz mitnahm, wo damals die Gewächshäuser ent-
standen, bevor mit dem Bau des Wohnhauses (1896)
begonnen wurde. Von der Wannsee-Bahn, die bis
Halensee benutzt wurde, sah man erst rechts, dann
links je einen Gasometer. Um die Kleinen zu amü-
sieren, zauberte Fürstenberg den ersten in den
zweiten um. Dann begann Hans skeptisch zu werden und meinte, es gebe deren zwei.
Da fragte ihn Fürstenberg, auf welcher Seite sie sich
angeblich befänden, und Hans erwiderte, der eine
sei rechts, der andere links. »Im Gegenteil«, sagte
Fürstenberg, »beide sind – auf Hin- und Rückfahrt –
rechts.« Verwirrt sah Hans sein Unrecht ein.

Salizyl-Salbe

Fürstenberg blieb nicht nur alten Hausangestellten
treu, sondern war ebenso konservativ gegenüber
den Hilfskräften. Jede Woche stellte der gleiche
bärtige Herr die Wanduhren, jede Woche erschien
der gleiche Friseur, um ihm den Bart zu stutzen.
Der »Hühneraugen-Doktor« Fischer kam alle zwei
Wochen. Er war ein beliebter Mann mit rotem Gesicht, der sich pustend auf seinem Dreirad von ei-

ner Thiergarten-Villa – so schrieb man das damals –
zur anderen bewegte, einen milden Klatsch verbrei-
tend, sogar, man denke nur, über die Bleichrö-
ders.
Er verschrieb für alle Leiden lispelnd Salizyl-Salbe,
und Fürstenberg adoptierte dies als geflügeltes
Wort, wenn irgendein Problem auftauchte.

Schminke

Eine junge Cousine aus Paris weilte als Logiergast
im Grunewald, und Frau Aniela wollte ihr etwas
Gutes antun, indem sie für die Familie eine Loge im
königlichen Opernhaus für eine erlesene Auffüh-
rung nahm.
Die Damen der Berliner Gesellschaft wußten noch
kaum, was Schminke war. Etwas Puder und Lip-
penrot, das war alles. Die junge Pariserin beabsich-
tigte einen Durchbruch und erschien in leuchten-
der Kriegsbemalung zum Abendessen. Sogleich erklärte Fürstenberg, daß er nur mitkomme, wenn sie
vorher ein Bad nähme. Sie nahm es nicht übel und
ging sich waschen.

Sterne

Der Astronom Dr. Archenholz, zeitweilig Hausleh-
rer bei Fürstenbergs, machte Karriere und wurde
Direktor der URANIA, der Sternwarte von Berlin.
Die Familie staunte, nur Fürstenberg hielt wenig
von den Sternguckern, wie er sie nannte. Das war

um so merkwürdiger, als er das Zeug zu einem bedeutenden Mathematiker hatte. Er konnte sehr komplizierte Rechnungen im Kopf vornehmen, jedoch niemals angeben, wie er dabei verfuhr.

Abendausgang

Mit Glanz umgibt sich für Hans ein oft wiederholtes Erlebnis. Im Ankleidezimmer des Vaters legte der Diener den Frack und die Abendwäsche bereit. Fürstenberg stieg nebenan aus dem in den Marmorboden eingelassenen Bad, eine der wenigen Extravaganzen der Viktoriastraße 7, hüllte sich, nicht ohne Würde, in den breiten, weißen Bademantel und betrat das Zimmer.

Der Diener kleidete ihn an, kniete, wie damals unvermeidlich, vor ihm nieder, um ihm die Stiefel zu schnüren, und Fürstenberg trat an die Kommode, wo die Orden zur Auswahl bereitlagen. Kaum war das geschehen, erzählte Fürstenberg eine seiner Anekdoten. Zum Beispiel schilderte er, wie alle Oberkellner ihn kannten und verehrten, weil er in früheren Jahren Vorsitzender der Berliner Hotelbetriebe gewesen sei. Damals, so erzählte er, umringten ihn die heutigen Ober als Pikkolos. Früh krümmt sich, was ein Haken werden will. – Und siehe da, der Bann ist gebrochen, auch der Diener lacht mit.

Kunst und Sport

Jahraus, jahrein betrat Fürstenberg in Berlin keinen
Kaufladen. Frau Aniela besorgte die Gebrauchsge-
genstände, der Diener die Kleidung, der Sekretär
den Rest.

Auf Reisen war das anders. So war er in Rom ein
amüsierter Besucher von Antiquitätengeschäften,
wobei ihm das Aushandeln des Preises viel Spaß
machte. Zu seinen eigenartigen Erwerbungen gehörte ein barockes Steinrelief von solchen Ausma-
ßen, daß es sich für den Schmuck der Grunewald-
Fassade als zu groß erwies. Schnell entschlossen
ließ er am Tennisplatz eine gewaltige Bank aus
Sandstein errichten, in die die Erwerbung eingefügt
wurde.

Als Sport erkannte Fürstenberg nur das Wandern
an.

Am Diana-See

Es war einer anderen Laune von Fürstenberg zu
verdanken, daß zwei lebensgroße, auf Sockeln sit-
zende Bronzefiguren den Weg von Rom nach Ber-
lin-Grunewald fanden.

Fürstenberg ließ sie an ein in den Diana-See rei-
chendes Rondell seines Parkes aufstellen. Die eine
stellte einen flöteblasenden Faun dar, die andere
eine ein Tamburin schwingende Nymphe. Zu deren Füßen schaukelte das Ruderboot »Aniela«.
Eine wahre Fülle weißleuchtender Hydrangea um-
rahmte dieses wilhelminische Idyll.

Das Blockhaus

Neben Fürstenberg hatte sich sein Sozius Rosenberg im Grunewald angekauft. Auch er war ein Original. Zur Zeit der beginnenden BHG-Freundschaft mit der Burenrepublik war er Generalkonsul des Oranje-Freistaates geworden und blieb es sein Leben lang, obgleich das Land längst von der Landkarte verschwunden war. Er war ein Mensch mit Esprit und Geschmack.

Der Blick von seinem Grundstück war besonders schön, und er baute dort ein kleines Blockhaus, das er nicht bewohnen wollte, sondern an Freunde und Verwandte auslieh. Einige Pringsheims wohnten da (die Frau von Thomas Mann war eine Pringsheim), vor allem auch der Maler des Grunewalds, Walter Leistikow mit seiner Pony-Mähne.

Fürstenberg mochte dieses Blockhaus nicht. Er brachte den Teilhaber dazu, ihm das Grundstück zu verkaufen, ließ das Ärgernis abreißen und schuf da eine prächtige Parkanlage.

Dampfbahn

Von der Linkstraße am Potsdamer Platz bis nach Grunewald an Fürstenbergs Eingangsportal fuhr alle Stunde eine Dampfbahn. Sie vollendete die Reise in fünfzig Minuten, und Fürstenberg benutzte sie, wenn das Wetter keinen Spaziergang zuließ.

Seine Langeweile beim Betrachten der vielen Kartoffeläcker, die die lange Strecke des Kurfürsten-

damms säumten, mag dazu beigetragen haben, daß
sich seine BHG mit der Deutschen Bank so eifrig
für die Erschließung jener Wohnviertel einsetzte.

Der Bauführer

Beim Bau des Grunewald-Hauses mochten
Fürstenberg und seine Frau nicht immer die gleichen Anregungen gegeben haben. Der Baumeister
von Ihne, der mit kaiserlichen Aufträgen überlastet
war, überließ gern die Entscheidungen seinem Bau-
führer, einem Herrn Göher.
Treu wie stets blieb Fürstenberg dessen Bewunde-
rer. Als fast zwanzig Jahre später der Familiensitz
Haus Grüneck in Kreuth umgebaut werden sollte,
erhielt Herr Göher den Auftrag. Er führte ihn übri-
gens vortrefflich aus.

Die dummen Geschäfte

In der Inflationszeit nach dem ersten Kriege lebten
viele Neureiche in Saus und Braus. Andere, die sich
ihr Vermögen erarbeitet hatten, pflegten das zu ta-
deln. Fürstenberg aber meinte: »Ein gutes Leben
hat keinen ruiniert, sondern dumme Geschäfte.«

Der Pensionär

Fürstenbergs alter Portier zog sich zurück und
wurde pensioniert. Die Ruhe bekam ihm ausge-

zeichnet. Nach vielen Jahren lebte er immer noch und holte sich monatlich die Pension. Als seine Kräfte nachließen und nunmehr des Portiers Tochter die Beträge einkassierte, verstieg sich Fürstenberg zu der Behauptung: »Der läuft auf einem gefälschten Totenschein herum.« Eines Tages beschloß er, am Wohnort nachforschen zu lassen, ob der Pensionär wirklich noch lebe. Als ihm das bestätigt wurde, berichtete er seiner Frau: »Du wirst sehen, der geht noch auf pari.«

Der Schwiegersohn

Ein in russischen Geschäften zu Reichtum gelangter Freund Fürstenbergs hatte sich bei Paris ein Schloß gekauft und besonders luxuriöse Stallungen erbaut. Fürstenberg wurde herumgeführt und stellte fest, daß die Ställe des Herrn und der Dame des Hauses mit deren Initialen geschmückt waren. Dann kam eine Stallung, wo überall ein O prangte. »Was soll diese Null bedeuten«, fragte Fürstenberg. »Es ist mein Schwiegersohn«, lautete die Antwort; »er heißt Octave.«

Die Frisur

Wer Bilanzen fälscht, wird bestraft. Kein Kenner aber wird bestreiten, daß die Vorstände ihre Bilanzen gerne so präsentieren, wie sie dem Publikum am besten gefallen. Als verfügt wurde, daß die Banken nicht nur zum Jahresende, sondern gar monat-

lich Bilanzen veröffentlichen sollten, bemerkte
Fürstenberg bitter: »Eine Frisur pro Jahr genügt
wohl nicht?«

Bescheidenheit

Ein großer Berliner Sammler und sehr reicher Mäzen gab sich gern den Anschein, als sei seine Le-
benshaltung einfach und gutbürgerlich. »Er ist ein
Einfachheits-Protz«, bemerkte Fürstenberg.

Der Käse

Französische Verwandte von Frau Fürstenberg besaßen ein Schloß bei Paris. Bei einem dort veran-
stalteten Frühstück gab es, nach Pariser Art, zwar
ein langes Menü, aber kleine Portionen. Fürstenberg, der ein starker Esser war, fühlte sich unbefrie-
digt. Als zum Schluß ein Camenbert serviert wurde, nahm er sich wortlos den ganzen Käse.

Der Blick ins Freie

Fürstenberg vergaß niemals seine bescheidenen
Anfänge, war aber gern bereit, die Seinen zu ver-
wöhnen. Eines Tages seufzte er jedoch: »Alle
meine Kinder müssen ins Grüne schauen.«

Der Gaul

Anerkannte Berliner Bildhauer wie Gaul oder Renée Sintenis besaßen Fürstenbergs Anerkennung, aber als seine jüngste Tochter den Bildhauer Huf heiratete, sagte er trocken: »Vier Hufe machen noch keinen Gaul.«

Die Hungerkur

Fürstenbergs Sohn Hans ließ sich in dem Grunewald-Besitz ein Schwimmbad bauen und benutzte gern die Mittagspause zum Schwimmen, während seine Frau bei dem Schwiegervater frühstückte. Ohne großen Erfolg erstrebte Hans eine schlankere Linie. Auf Fürstenbergs Frage nach ihm erwiderte die Schwiegertochter: »Er nimmt ab.« »Na, höchstens die Hose«, ertönte die Antwort.

Das Tischgespräch

Einer zur Familie gehörenden Dame war die Gabe brillanter Konversation nicht verliehen. Als sie sich mit Fürstenberg über einen hellblauen Stoffbezug unterhielt, soll sie, so behauptete Fürstenberg, ausgerufen haben: »Bei Hellblau fällt mir Tante Rosa ein.« Dann ging das Tischgespräch über Tante Rosa weiter.

Die Umarmung

Walther Rathenau verdankte einen Teil seines Magnetismus der Gewohnheit, seinem Gesprächspartner von oben herab – er war von großer Statur – den Arm um die Schulter zu legen. Er versuchte es auch einmal mit Fürstenberg. Der aber wich aus und sagte: »Walther, lassen Sie das lieber sein, man könnte uns für Brüder halten.«

Der Fromme

Ein großer Industrieller aus Fürstenbergs Geschäftskreis war ein frommer Katholik. Er habe, so Fürstenberg, zu gute Beziehungen zum lieben Gott. Damit war gemeint, daß er durch klerikale Beziehungen seine Obligationen sehr günstig bei reichen Klöstern unterbringe.

Das Tageblatt

Fürstenberg unternahm seine Hochzeitsreise nach Konstantinopel. Er kannte einige Würdenträger an der Hohen Pforte, und die weihten ihn in die Geheimnisse des Kaufens und des Feilschens ein. Die wirklich guten Stücke könne man nur durch eine asiatische Ermüdungstaktik bekommen. Tatsächlich erwarb Fürstenberg auf diesem Wege schöne Teppiche. Mit einem Händler jedoch kam er nicht vorwärts. Er sprach kein Türkisch, der andere schwieg sich aus. Als er wieder einmal vorsprach,

fand Fürstenberg den Händler nicht in seinem Laden und vermutete ihn aber in der Hinterstube. Er
erblickte ihn nicht, wohl aber eine Nummer des
»Berliner Tageblattes«. Am nächsten Tag war der
Teppich sein eigen.

Der Generalnenner

Ein beliebter Ausspruch Carl Fürstenbergs war:
»Der Optimist und der Pessimist haben einen
Nenner gemeinsam, nämlich den Mist.« Er glaubte
überhaupt nicht an Verallgemeinerungen.

Der Narr

Eines Tages wunderte sich Hans Fürstenberg, weil
sein manchmal aufbegehrender Vater eine unbil-
lige Forderung mit freundlichem Lächeln akzep-
tierte. Die Erklärung ließ nicht auf sich warten:
»Wenn ich schon ein Narr sein muß, so bin ich ein
guter Narr.«

Beim Präsidenten

Obgleich Fürstenberg Monarchist war, hatte er Bewunderung für Friedrich Ebert als den Mann, der
nach 1918 Deutschland in ruhiger Beharrlichkeit
beisammengehalten hatte. So ging er auf den ersten
Empfang, den Ebert gab. Der Haushalt des Präsidenten war damals noch nicht organisiert, was spä-

ter Max Liebermanns Tochter und Schwiegersohn, die Riezlers, übernahmen. Das Vorstellen lag im argen, und als Fürstenberg sich der Gattin des Präsidenten gegenübersah, blieb ihm nichts anderes übrig, als sich zu verbeugen und selbst den Namen Fürstenberg zu verkünden. Da verbeugte sich die Frau des Hauses und sagte: »Ebert.«

Die Credit-Seite

Ein großer Unternehmer wollte Kunde der Berliner Handels-Gesellschaft werden und bestand darauf, die Sache mit Fürstenberg persönlich zu besprechen. Der aber brachte ihm kein großes Vertrauen entgegen. Als er ihn empfangen mußte, begrüßte er ihn mit den Worten: »Ich freue mich sehr, Sie bei mir zu sehen. Bitte nehmen Sie auf der Credit-Seite Platz.«

Das Kindchen

Ein wißbegieriger junger Kunde wollte eine genaue Auskunft über ein viel besprochenes Erz-Unternehmen herausholen. Fürstenberg wußte mehr darüber, als ihm lieb war, wollte aber nicht mit der Sprache heraus. Nach längerem Drängen ließ er die Bemerkung fallen, daß er zwar nichts von dem Erz-Unternehmen wisse, wohl aber einmal etwas über einen Erz-Gauner gehört habe. Das wollte der Besucher nicht gerne hören. Er mochte glauben, daß Fürstenberg schon zu alt sei. So antwortete er schlagfertig, auch er habe schon über Erzgauner sprechen hören, glaube aber nicht immer an Erzvater. Das wurde Fürstenberg zu dumm. Da solle der Kunde sich die Lage doch lieber von einem Erzbischof deuten lassen. Fürstenberg begleitete ihn dann höflich bis zur Tür und sagte: »Adieu, Sie Kindchen.«

Der Verlobte

Der Sohn des mit Fürstenberg befreundeten Bildhauers Begas, den Kaiser Wilhelm II. mit so vielen Aufträgen bedachte, verlobte sich, so behauptete Fürstenberg, oft und gern. Zu einer Hochzeit aber kam es nie. Einst begegnete der junge Mann Fürstenberg, schüttelte ihm freudig erregt die Hand und erzählte von einer Verlobung. Wann dürfe er wohl Fürstenberg seine Braut vorstellen? Darauf Fürstenberg: »Nein, mein Junge, die überspringe ich.«

Notwendiges Vertrauen

Als sich gegen 1914 der politische Horizont verdunkelte, gab es in dem Kreise um Fürstenberg viele Erörterungen über die Zukunft. Ballin blieb zu lange optimistisch, Rathenau sorgte sich um die Rohstoffe, und Harden sah – mit Recht – sehr schwarz. Ihm gegenüber setzte sich Fürstenberg zur Wehr: »Sie mögen recht haben, aber eine große Firma mit vielen Menschen kann ich nur führen, wenn ich an den Erfolg glaube.«

Die guten Geschäfte

Als Hugo Stinnes während der Inflation die Majorität des Kommanditkapitals der Berliner Handels-Gesellschaft erworben hatte, kündigte er es Fürstenberg theatralisch an. Um Mitternacht sandte er einen Bevollmächtigten, einen früheren Major im Großen Generalstab, in die Grunewald-Villa mit dieser Mitteilung, Stinnes werde sich von nun an mit der Bank beschäftigen. Fürstenberg, der gewarnt worden war, mochte innerlich erschüttert sein, verlor aber nicht die Fassung. Stinnes, so sagte er, habe sich mit nichts anderem zu beschäftigen als mit dem Jahresabschluß, den Rest besorgten, gemäß den Satzungen, die persönlich haftenden Gesellschafter. Dann fand sich der große Stinnes selbst ein. Er habe, so sagte er, den Kauf nur vorgenommen, um Schlimmeres zu verhüten. Wenn er die Satzungen vorher gelesen hätte, so hätte er es nicht getan. Da antwortete Fürstenberg: »Geben Sie viele Geschäfte an die Bank, aber nur die guten.« Gesagt, getan. Die Bank und der Stinnes-Konzern wurden die besten Freunde.

Der Poet

Ein befreundeter Börsenmakler hielt sich für einen Dichter. Wenn ihm die Muse erschien, zog er sich zurück und stellte einen Stuhl mit weißem Tuch vor seine Zimmertür. Als Fürstenberg ihn eines Tages besuchen wollte, erblickte er beim Eintreten den Stuhl und fragte leutselig das Dienstmädchen,

ob es frische Blutwurst gebe – die Berliner Schläch-
ter zeigten das nämlich so an. »Nein«, antwortete
das Mädchen, »der Herr dichtet ins Hemde.«

Der freundliche Kellner

An einem Pfingstsonntag beschloß Fürstenberg,
auswärts zu frühstücken. Es war ein schöner war-
mer Tag. Fürstenberg suchte nach einem Opfer, um
vor dem Mittagessen einen Fußmarsch durch den
Grunewald zu unternehmen. Er fand es in Walther
Rathenau. Heiß und hungrig landeten sie schließlich in einem überfüllten Restaurant am Huber-
tus-Platz. Fürstenbergs häufige Rufe nach dem
Kellner blieben ungehört. Da reckte sich Rathenau,
angelte einen Taler aus der Tasche und sagte: »Lieber Fürstenberg, ich will Ihnen zeigen, wie man so
etwas macht.« Schnell hatte er das Geldstück einem vorbeieilenden Kellner in die Hand gedrückt.
Nachdenklich sah der ihn an. »Wo die Herren so
freundlich sind«, äußerte er, »jehen Sie lieber wo-
anders hin. Hier jibt's doch nischt.« – Fürstenberg
erzählte die Geschichte mit Vorliebe.

Trauerfeiern

Wenn in der großen Geschäftswelt jemand starb, so
mußte Fürstenberg zur Trauerfeier, und wenn es
einen großen Empfang gab, so mußte er gleichfalls
dran glauben. Diese so verschiedenartigen Ereig-
nisse brachte Fürstenberg in merkwürdiger Weise

in Verbindung: Die Berliner Lohndiener seien, so
behauptete er, tagsüber Leichenträger. Und das sei
der Grund, warum sie ihn alle kennten und freundlich begrüßten.

Zinkeinsätze

Ein Bekannter wunderte sich darüber, warum
selbst bei dem üppigsten Buffet am Ende nie etwas
übrigbleibe. Da fielen Fürstenberg wieder seine alten Freunde, die Lohndiener, ein. »Wissen Sie gar
nicht, daß die alle in den Hosentaschen Zinkein-
sätze haben?« fragte er.

Der Generalkonsul

Einem beliebten Mitglied der Berliner Börse war
das General-Konsulat eines südamerikanischen
Staates übertragen worden. Stolz wachte er darüber, daß der Titel beachtet werde. Eines Tages
sprach ihn ein Börsenbesucher mit »Herr Konsul«
an. »Sie verstehen aber auch nichts«, fuhr Fürstenberg dazwischen. »Julius Caesar war Konsul. Herr
G. ist General-Konsul.«

Die Friedenstaube

Fürstenberg wußte den Witz auch bei anderen zu
würdigen. Aus einem schwer erfindbaren Anlaß
hatte er sich mit Max Warburg verkracht. Als Für-

stenbergs siebzigster Geburtstag kam, schickte
Warburg ihm in einem Käfig eine weiße Taube, nur
von seiner Visitenkarte begleitet. Darüber freute
sich Fürstenberg den ganzen Tag lang. Am Abend
ging ein Telegramm heraus: »Friedenstaube akzep-
tiert.« Die Freundschaft war wiederhergestellt.

Die Erfinder

Der alte Herr hatte keine rückständigen Ansichten.
Auf wichtigen Feldern der Industrie zählte er ja zu
den Pionieren, so auf denen der Elektrizität, der
nahtlosen Röhren, des Aluminiums. Aber die
ewige Unruhe, die damals schon ein fortwährender
Strom von Neuerungen ins tägliche Leben hinein-
trug, fand er gefährlich. Einmal seufzte er: »Wenn
man zehn Jahre lang das Erfinden verbieten könnte,
so wären wir in Ordnung.«

Das Jüngste Gericht

Als Fürstenberg sich im Grunewald angesiedelt
hatte, legte er sich ein Familienbegräbnis zu. Die
neue »Kolonie Grunewald« besaß freilich keinen
eigenen Friedhof, sondern war auf den des angren-
zenden Vorortes Halensee angewiesen. Der war
vortrefflich angelegt, aber an allen Seiten fuhren in
schneller Folge Züge vorbei. So war denn Frau
Fürstenberg entsetzt. Fürstenberg aber verteidigte
Halensee: »Jedenfalls hat man von da die besten
Verbindungen zum Jüngsten Gericht.«

Der Gegenbesuch

Am Ende des Sommers ging Fürstenberg nach Ostende, um seinen kräftigen Körper noch eine Woche lang dem Wellenschlag der Nordsee auszusetzen. Er wohnte dann mit seiner Frau in einer »Dépendance« des Hotels, da dieses schon geschlossen war. In einem Jahr traf es sich, daß der Leiter einer anderen großen Berliner Bank auf die gleiche Idee gekommen war und die Wohnung darüber bezog. Die Herren kannten sich, aber die Bekanntschaft mit der jungen Gattin des Kollegen hatten Fürstenberg und Frau bisher nicht gemacht.

Nun war, nach belgischem Brauch, die Toilette nur vom Treppenabsatz zwischen den beiden Stockwerken zugänglich. Ein so plötzlicher Drang führte Fürstenberg einmal dorthin, daß er vergaß, die Tür abzuriegeln. Kaum hatte er Platz genommen, als die Dame aus der oberen Etage aus dem gleichen Drange die Tür aufriß. Schmunzelnd erzählte Fürstenberg seiner Frau den Zwischenfall und schloß: »Nun müssen wir Karten abgeben; um einen Gegenbesuch kommen wir nicht herum.«

Die Fusion

Als der Bankenkrach 1931 in Berlin herannahte, fusionierten zwei der bekanntesten Großbanken. Zu jeder der beiden blickte die andere bewundernd auf, aber nach dem Zusammenschluß gab es eine Ernüchterung. Dazu lautete Fürstenbergs Anmerkung: »Fusionieren beruht auf gegenseitiger Überschätzung.«

Junges Glück

Ein Freund heiratete eine Erbin, die als sehr reich galt, aber Fürstenberg war skeptisch. Und siehe da, er behielt recht! »Da ist nachträglich aus einer Verstandesehe eine Liebesheirat geworden«, lautete sein Kommentar.

Klimatisierung

Der Begründer der führenden Großbank Italiens, der Banca Commerziale Italiana, hieß Joël, stammte aus Danzig, war wegen einer schwachen Lunge jung nach Italien gekommen – und hatte dort, mit Hilfe aus Berlin und Paris, seine Großtat vollbracht. Die Unterstützung aus Deutschland kam von Fürstenbergs Bank, die das Privileg des stellvertretenden Vorsitzes bis zu Beginn des Ersten Weltkrieges ausübte. Wenn Joël zu Fürstenberg zu Besuch kam, wurde vorher die erwünschte Zimmertemperatur telephoniert, denn Joëls Lunge war so schwach geblieben wie einst. Beim Eintreffen begleitete ihn ein Diener, der ein Thermometer aufstellte. Von Zeit zu Zeit wurde nachgesehen, ob alles noch stimmte.

Die Brücke

August Thyssen hatte Fürstenberg die Ehre erwiesen, ihn als Hausgast zu sich zu laden. Nach einer Aussprache im Büro fuhren die Herren zum Landsitz des Industriekönigs. Das dauerte eine ganze Weile, und Fürstenberg bemerkte, daß er sich das Haus näher vorgestellt habe. »Ja«, sagte Thyssen, »ich mache einen Umweg. Denken Sie sich, ich müßte sonst über eine Brücke fahren, wo die Kerle einem 20 Pfennig Brückengeld abnehmen.«

Die süße Gewohnheit

Fürstenberg war ein Gewohnheitsmensch. Er mochte keine neuen Gesichter um sich sehen. Als der Koch im Krieg verschwand, wurde das Küchenmädchen zum Chef ernannt, und als der Obergärtner verstarb, rückte ein Gartenarbeiter auf. In Haus Grüneck, Kreuth, weilte er nur selten, aber behielt dort ein mehrköpfiges Personal jahrein, jahraus. Theres', die Köchin, wurde unausstehlich, und schließlich mußte der Sohn Hans sie entlassen. Einige Stunden später verkündete ihm der alte Herr: »Ich habe die Theres' wieder engagiert.«

Das böse Auto

Mit Furcht und Schrecken betrachtete Fürstenberg das Automobil, teils auch, weil einer seiner nächsten jungen Freunde, ein Bleichröder, während der

Anfangszeit bei einem Unfall umgekommen war. Solange es anging, fuhr er mit Pferden. Hatte er dann einmal Vertrauen zu einem Chauffeur gefaßt – auch einem schlechten –, blieb er diesem Lebensretter treu. Gemietete Autos durften nicht über 40 km/h fahren.

Das Gelübde

Als der erste Krieg ausbrach und Hans alsbald mobilisiert wurde, ließ Fürstenberg den Sohn zu einem letzten ernsten Gespräch zu sich kommen: »Mein Sohn«, bemerkte er, »nun ziehst du aus in den Krieg. Der braucht nicht unbedingt gefährlich zu sein; in dieser Hinsicht wird er überschätzt. Eine große Gefahr entsteht jedoch für den, der selbst Auto fahren will. Du mußt mir feierlich geloben, es nie zu tun.« Und so ist Hans niemals ein Fahrer geworden. Gelübde bleibt Gelübde.

Der Kronleuchter

Die erste Großtat Fürstenbergs nach dem Eintritt in die Berliner Handels-Gesellschaft war das Auflegen einer serbischen Anleihe. Die begann aber bald Sorgen zu bereiten, und Fürstenberg mußte sich um die Finanzverwaltung des Landes kümmern. Der Finanzminister selbst, so stellte er fest, war unbestechlich, aber seine Gattin verkaufte den ewig gleichen Kronleuchter ihres Salons an solche, die des Ministers Gunst erstrebten. Da ließ Fürstenberg den Kronleuchter kaufen und abholen.

Das Leben für den Zaren

Bestechlichkeit hat es immer gegeben, auch vor der
Affäre Lockheed, und Fürstenberg war nicht über-
rascht, als er beim Stettiner Vulkan, wo er den Vorsitz führte, über Nebenleistungen an die russische
Kriegsmarine hörte. Die machte damals große Be-
stellungen beim Vulkan. Was Fürstenberg dabei er-
schütterte, war die Faulheit der russischen Büro-
kratie. Sie ließ sich die Rechnungen in doppelter
Ausfertigung kommen, einmal mit überhöhten
Preisen, das andere Mal mit erheblichen Nachläs-
sen, die vorweg mit roter Tinte auf russisch hinein
korrigiert waren. Fürstenberg nannte das »des Za-
ren doppelte Buchführung«.

Der Sekretär

Als Fürstenberg 1883 in die Berliner Handels-Gesellschaft eintrat, ward ihm ein Sekretär zuteil, der
ihm nicht zusagte. Nach den Gründen befragt,
sagte er: »Er radiert! Das erste Wort, das auf den
Briefen radiert wird, ist ›Berlin‹; und dann kommt
das Datum an die Reihe.«

Der Mantel

Als Fürstenberg einen Gastgeber verließ, suchte
dieser ihm ungeschickt in den Mantel zu helfen.
»Bitte lassen Sie es sein«, bemerkte Fürstenberg,
»ich komme schon so nicht hinein.«

Der Bezahler

Zu Ostern fuhr Fürstenberg stets auf zwei Wochen nach Rom, erst mit der Gattin, später auch mit den Kindern. Er hatte eine Trattoria entdeckt, wo es den besten Spargel gab und wo er bald mit dem Besitzer bekannt wurde. Der redete ihn ergebenst mit »Commendatore« an, ein Rang, der sich aus seinem Orden der Corona d'Italia ergab. Eines Tages kam ausnahmsweise die Familie ohne den Vater. »Ma dov'è il pagatore?« fragte der Wirt besorgt. Am nächsten Tag war Fürstenberg wieder Commendatore.

Die Ewige Stadt

Nichts war eleganter in Rom als die Corsofahrt auf den Pincio, zur Stunde des Sonnenunterganges. Bei einer solchen Gelegenheit entdeckte Fürstenberg einen alten Berliner Bekannten, der, auf eine Balustrade gestützt, nachdenklich den Sonnenball hinter Sankt Peter versinken sah. Soviel Gefühl hatte Fürstenberg ihm gar nicht zugetraut. Er klopfte ihm auf die Schulter und fragte, wie er das finde. »Rom is nischt«, lautete des Berliners Antwort.

Der Flügel

Auf einer Reise durch das Hochgebirge nach dem damals mit der Eisenbahn noch nicht erreichbaren St. Moritz wurde eine Zollgrenze passiert, und der

Gepäckwagen der Karawane mußte ausgeladen werden. Frau Aniela führte eine umfangreiche Garderobe mit sich. Am Ende blieb der große Schrankkoffer übrig. Fürstenberg deklarierte: »In dem Flügel ist auch nur Kleidung meiner Frau.«

Das schöne Paris

Das Entzücken seiner Gattin und anderer Damen der Familie im bloßen Gedanken an Paris teilte Fürstenberg nicht und bemerkte: »Die fallen schon in Ekstase, wenn sie die berußte Einfahrt zur Gare du Nord erblicken.«

Die schmale Gasse

Fürstenberg fehlte es durchaus an Ortssinn. Ein liebenswürdig-neureicher Nachbar stellte ihm beim täglichen Morgenspaziergang im Grunewald manchmal nach, und als Fürstenberg ihm auszuweichen meinte, lief er ihm schnurstracks in die Arme. Es war auf einem schmalen Weg beim Jagdschloß Paderborn. »Ich hab's gewußt«, jubelte der Nachbar, »durch diesen engen Paß muß er sich windeln.«

Englischer Rasen

In seinem Park in Grunewald wollte Fürstenberg auf den Rasenflächen kein Unkraut dulden. Diese

Marotte führte dazu, für das Jäten drei Frauen zu
beschäftigen. Niemand durfte den Rasen über-
schreiten. Ein witziger Bekannter war von diesem
Vorgehen erschüttert. Er ließ in seinem eigenen
Garten Schilder mit der Aufschrift aufstellen: Das
Betreten der Wege ist verboten.

Gastronomie

Fürstenberg war nicht nur ein kräftiger Esser, sondern auch ein Feinschmecker. Ein Freund wußte,
daß er Trüffeln über alles liebte, und am 1. Januar
duftete das Haus nach dessen köstlicher Gabe.
In Paris speiste er eines Tages mit einem Freund in
dem berühmten Restaurant Voisin. Vom Buffet
leuchteten, mitten im Winter, drei Pfirsiche entgegen, und jeder der Herren bestellte sich einen, trotz
des hohen Preises. Das schmeckte so gut, daß sie
sich auch den dritten teilten. Auf der Rechnung war
der doppelt so teuer. Der Maître d'Hôtel erklärte:
»Ja, vorhin hatten wir mehrere Pfirsiche zu verkaufen, jetzt nur noch einen einzigen. Der hat Selten-
heitswert!«

Der edle Tropfen

Fürstenberg war ein Weinkenner. Er schätzte über
alles einen besonders edlen, gewichtigen Rhein-
wein, Hochheimer Hölle genannt. Der kam aus einem kleinen Weingut, und nur die Freunde des Be-
sitzers, eines Berliner Kommerzienrats, konnten

auf eine Belieferung rechnen. Fürstenberg liebte den nicht, aber was tut man nicht alles für so einen Wein! Daher wurde der glückliche Besitzer gelegentlich zu der kleinen Gruppe von Herren zugelassen, die morgens durch den Tiergarten nach der Innenstadt pilgerten. Der mochte sich dessen zu laut gerühmt haben. Als eines Tages S.M., nach einem Frühstück, Fürstenberg beiseite nahm und ihn fragte: »Kennen Sie diesen Kommerzienrat?« »Noch nie gehört, Majestät«, erwiderte Fürstenberg, ohne mit der Wimper zu zucken.

Die Ochsen

Ein polnischer Vetter von Frau Aniela kam nach Berlin, um Musik zu studieren. Er zeigte sich besonders begeistert von Ochs, dem berühmten Chordirigenten der Philharmonie. Fürstenberg nannte ihn »Der Ochs von Warschau«.

Stolz

Fürstenberg wurde gefragt, ob er auf seine Erfolge stolz sei. Das verneinte er; wie jeder Mensch habe er seine Schwächen: »Stolz ist man«, fügte er hinzu, »wenn man gut verdaut hat.«

Der Heilige Vater

Wir müssen uns alles im richtigen Rahmen vorstellen, bemerkte Fürstenberg häufig. Erläuternd fügte er hinzu: »Man kann nicht an den Papst auf einem gewissen Örtchen denken.«

Rigoletto

Auf ihrer ersten Italienreise nahm die Frau eines mit Fürstenberg bekannten Bankiers zufällig im gleichen Abteil mit ihm Platz. Nach einiger Zeit verschwand sie auf dem Gange und ward nicht mehr gesehen. Nun begab sich Fürstenberg auch hinaus, um nach ihr zu fahnden. Er hörte lautes Pochen an einer kleinen Pforte. »Unter der Tür«, erzählte Fürstenberg, »lag ein Zettel: Ingerigoletto.« Dem herbeigeholten Zugführer gelang die Befreiung.

Der Aujust

Wenn Fürstenberg jemals mit einer peinlichen, aber unabweislichen Situation zu tun hatte, pflegte er eine Berliner Geschichte zu erzählen. Ein Verbrecher hatte im Gefängnis aus Langerweile Freundschaft mit dem Henkersknecht geschlossen; als aber die Stunde der Hinrichtung schlug, wehrte er sich mit allen Kräften. Da sah ihn der Henker begütigend an und mahnte: »Aujust, laß dir köppen.«

Astronomie

Der Sohn eines von Fürstenbergs Kollegen wurde Astronom, was im Kreise der Bank einige Verwunderung auslöste. Fürstenberg aber bemerkte: »Das ist der schönste Beruf. Astronomische Ziffern kann niemand nachrechnen.«

Viererzug

Ein reicher Freund des Ehepaares Fürstenberg war ein großer Sportliebhaber. Als er die beiden in sein Schloß geladen hatte, schlug er eine Spazierfahrt im Viererzug vor. Gesagt, getan – aber der Ausflug landete bald an einem Chausseegraben. »Die Pferde sind wieder mal falsch gespannt«, fauchte der wütende Schloßherr den neben ihm sitzenden Kutscher an. Der wandte sich erklärend zu Fürstenberg um und bemerkte: »Nee, det kommt von's schludrige Fahren.«

Die Radfahrer

In Paris besaß Fürstenberg einige gute Freunde, darunter einen Bankier dänischen Ursprungs, der ein Freigeist war. Er mochte die Katholiken nicht, und wenn Dinge schiefgingen, was auch damals passierte, so rief er stets: »Das ist der Papst, jawohl, der Papst!« »Sie irren«, sagte Fürstenberg, als es ihm eines Tages zu bunt wurde. »Es sind die Radfahrer.«

Besichtigungen

Trotz seines stets lebendigen Interesses für Industrie zählte Fürstenberg zu den wenigen, die keine Fabriken besichtigen wollten. Da werde, meinte er, zu lange geputzt und aufgeräumt, bevor die Inspektion erfolge. Wer darauf hereinfällt, gibt zuviel Kredite: »Besichtigungen kommen mir zu teuer.«

Die Nachhilfe

Eines Abends gestand der Gymnasiast Hans seinem Vater, daß er den am nächsten Tag abzugebenden deutschen Aufsatz verbummelt habe. »Wir schaffen es noch«, rief Carl Fürstenberg, schrieb Zettel auf Zettel, und Hans kopierte sie. Als dann die zensierten Arbeiten zurückgegeben wurden, mußte Hans bis zum Ende warten. Dann bekam er den Aufsatz ohne Zensur, aber mit der Anmerkung »Alter-Männer-Stil«.

Ruhrbesetzung

Der Mann einer Pariser Cousine, Offizier und Elektro-Ingenieur, wurde während der Ruhr-Okkupation nach Essen versetzt. Verärgert bemerkte Fürstenberg: »Der repariert da die Klingeln.«

Der Mormone

Hans war seit mehreren Jahren Geschäftsinhaber und errichtete ein Wohnhaus. Dafür kaufte er schon während der Bauzeit Möbel bei Antiquaren, und da das große Eßzimmer der väterlichen Wohnung in der Behrenstraße leerstand, benutzte er es als Möbellager. Der alte Herr ärgerte sich, aber er schwieg, bis ein überdimensionales Bett eintraf. Er redete es Hans mit der Bemerkung aus: »Was soll es mit dem Mormonen-Bett?« Darauf wurde das ärgerliche Möbel ausgeschieden.

Verspätung

In Geigers Waldhaus in Sils-Maria, Engadin, pflegte die Familie Fürstenberg Sommerferien zu verleben. Da passierte es dem Sohn, mit Verspätung zur Abendtafel zu erscheinen. Fürstenberg äußerte dazu: »Er bemüht sich persönlich.«

Schönheitskönigin

Im Schwarzwald hatte eine Schönheitskonkurrenz stattgefunden, und die Königin war in Scherls »Woche« abgebildet. August Scherle sah das, erklärte: »Die oder keine«, fuhr hin und heiratete sie. Dann allerdings sperrte er sie ein in eine Wohnung, die mit gepolsterten Doppeltüren versehen wurde. »Aschenbrödel und Othello«, sagte Fürstenberg.

Rascher Wechsel

Der junge Winterfeld, Sohn eines Teilhabers, heiratete eine Engländerin, die sich nicht an Berlin gewöhnen konnte. Rasch entschlossen kaufte Fürstenberg für die Bank eine Beteiligung am New Yorker Bankhaus H. & Co. und machte Winterfeld zum Partner. Der aber wollte nicht ausharren. Nach ziemlich kurzer Zeit bat er Fürstenberg um seine Freiheit. Der reiche James Speyer habe ihm eine Teilhaberschaft angetragen, und das könne er nicht abschlagen. »Tun Sie es nicht«, sagte Fürstenberg, »mit dem hat es noch niemand ausgehalten.« Dann ließ er ihn ziehen. Nach drei Jahren saß Winterfeld mit einer Gemäldesammlung in Monte Carlo. Jimmy Speyer hatte ihn hinausgeGraulte.

Die Presse

Fürstenberg hatte gute Beziehungen zu einigen großen Journalisten. Eine besondere Schwäche entwickelte er für die Wiener »Neue Freie Presse«, und dort ließ er manchmal Informationen erscheinen, die er nicht unter seinem Namen geben wollte. Das führte zu einer Freundschaft mit dem Berliner Korrespondenten des Blattes, Dr. Paul Goldmann. Der erschien des öfteren im Grunewald und lauschte den Vorträgen, die Fürstenberg mit seiner zwar nicht lauten, aber tragenden Stimme gern von sich gab. Wenn er sich mal unterbrach, so ertönte die Stimme des Besuchers wie eine Art Refrain: »Wie meinen Herr Direktor?«

Reparationen

Die schier unabsehbare Kriegsentschädigung, die dem besiegten Deutschland in Versailles auferlegt wurde, ging bekanntlich unter dem Namen »Reparationen«. Um in dieser Größenordnung zahlen zu können, war die Regierung in Weimar zu einer Papier-Inflation gezwungen, die alte Vermögen vernichtete, aber viele neue entstehen ließ. Neureiche, die der Berliner Volksmund »Raffke« nannte, zählten zu denen, die sich an den Toren Berlins schöne Villen errichten ließen. Schmunzelnd bemerkte Fürstenberg; »Der Wiederaufbau Nordfrankreichs findet in Dahlem statt.«

Der Sammler

Zu denen, die gebaut und sich noch dazu eine Sammlung alter Meister zugelegt hatten, zählte ein neureicher Bekannter Fürstenbergs. Der sagte zu ihm bei einer zufälligen Begegnung: »Herr Fürstenberg, Sie sollten wirklich einmal zu mir kommen und sich meine Bilder ansehen. Sie werden staunen über meine Gemälde, besonders die Tiepeles und die Canalettis.« Fürstenberg machte ihn darauf aufmerksam, daß dies nicht die richtigen Namen seien. Darauf der Mäzen mit breitem Grinsen: »Vor mir sind alle Bilder gleich.«

Imitation

Geheimrat X; ein Berliner Wirtschaftsführer, hatte
eine Ähnlichkeit mit Gerhard Hauptmann, die er
gerne zur Schau trug. Dieser wiederum war be-
strebt, Goethe zu ähneln. Fürstenberg nannte den
Geheimrat »die Imitation der Imitation«.

Edler Wettlauf

Eine komische Rivalität entstand im Grunewald
zwischen Fürstenberg und dem befreundeten recht
absonderlichen Verleger des »Berliner Lokalanzei-
ger«, August Scherl. Als Fürstenberg, der zu den Vä-
tern dieser Siedlung zählte, sich dort ankaufte, tat
es Scherl auch. Dann kaufte Fürstenberg auf beiden
Seiten dazu und schuf den größten Park in jener
Gegend. Das ließ Scherl keine Ruhe. Da sein
Grundstück sich nicht in gleicher Weise ausweiten
ließ, erwarb er großzügig das ganze Gebiet, das sich
die Gemeinde für kommunale Zwecke reserviert
hatte – den Gemeindeacker –, und lag nun an der
Spitze. Fürstenberg aber zeigte sich nicht beein-
druckt. Er hatte inzwischen gebaut. Scherl, sagte er
mit Achselzucken, besitze nicht einmal ein Haus.
Das ließ August sich nicht zweimal sagen. Ein Ar-
chitekt wurde mit Instruktionen betraut, als wäre
er ein Redakteur des »Lokalanzeigers«. Ein Riesen-
kasten entstand in Eile, aber es war auch danach.
Scherl besichtigte den Bau, erklärte ihn für miß-
glückt und ließ das nagelneue Haus wieder abreißen. Dann wurde ein berühmter Baumeister aus

München geholt, und alsbald entstand ein schöner Bau. Obgleich sich Fürstenberg und Scherl später aus den Augen verloren, ließ der altgewordene Zeitungsmagnat es sich doch nicht nehmen, sich im Kreuther Tal anzukaufen, nachdem Fürstenberg es getan hatte. Es war eine Art unglückliche Liebe.

Der Schwimmer

Es ist nicht schwer, einen Fluß zu überqueren, wenn man einmal das Schwimmen gelernt habe, wiederholte Fürstenberg häufig. Schwierig ist es, auf das gegenüberliegende Ufer zu klettern. Daran scheitern die meisten!

Die Repetieruhr

Fürstenberg liebte seine dicke goldene Uhr, einen Chronometer mit jener heute in Vergessenheit geratenen Einrichtung, einem Repetierwerk. Er drückte auf ein Knöpfchen, und die Uhr schlug die Stunden, nebst den Viertelstunden. Nun ging Fürstenberg im hohen Alter noch manchmal ins Theater. Einmal kamen die Seinen auf die Idee, ihm etwas Neues zu bieten, nämlich das gerade nach Berlin gelangte Stück von Giraudoux »Amphitryon 38«, in dem Elisabeth Bergner einen Triumph feierte. Einen ihrer stärksten Effekte erzielte sie im dritten Akt durch ein langes Schweigen. Mitten hinein erklang aus einer Seitenloge ein harmonisches Kling-Klang, Kling-Klang. Carl Fürstenberg langweilte sich und »repetierte.«

Die Frau ohne Schatten

Ein Freund des alten Herrn hatte sich zurückgezogen. Seine Frau hatte den Ehrgeiz, außer der Villa im Berliner Westen ein Landgut zu besitzen. Nach einiger Zeit war es gelungen. Das weckte die Neugier des alten Fürstenberg. Er besichtigte die Erwerbung und stellte fest, daß es sich um einen erst kürzlich abgeholzten Besitz handelte. Frei nach Richard Strauß nannte er die Dame von nun an: »Die Frau ohne Schatten«.

Das Dreimonats-Akzept

Ein alter Bekannter besuchte Carl Fürstenberg und berichtete von seinem ruhigen Leben in einem Provinzort. Seine Ämter habe er aufgegeben, die Zeit schleiche langsam dahin. Da meinte der alte Herr aufmunternd: »Sie sollten mal einige Dreimonats-Wechsel akzeptieren. Von dem Tage ab würden Sie sehen, wie schnell die Zeit davonrast.«

Die Beerdigung

Louis Hagen hatte an die sechzig Aufsichtsrats-Mandate. Als am Schluß einer Aufsichtsratssitzung, der er mit Carl Fürstenberg beiwohnte, ein Termin für die künftige Versammlung festgelegt werden sollte, begann Hagen ein Suchen im Notizbuch. Alle Tage, alle Stunden waren vergeben. Wenn er schließlich einen freien Augenblick entdeckt zu haben glaubte, klopfte er sich an die Stirn und rief: »Ach nein, da muß ich ja in Hamburg sein... oder in Elberfeld.« Schließlich wurde ein entferntes Datum ausfindig gemacht. Inzwischen war Fürstenberg die Geduld gerissen. »An dem Tage kann ich nun leider nicht«, murmelte er bedauernd. Dann fügte er erklärend hinzu: »Da wird nämlich ein entfernter Vetter begraben.«

Das ewige Leben

Häufig behauptete Fürstenberg, er besitze ein Geheimmittel, um das Leben unbegrenzt zu verlängern. Man brauche nur gute Bekannte an die Bahn zu bringen, recht frühzeitig vor der Abfahrt dort anzulangen und die Zeit, bis der Zug sich in Bewegung setze, in Plauderei zu verbringen. Die letzten fünfzehn Minuten seien da sehr lang, die allerletzten drei aber eine Ewigkeit.

Die vorchristliche Periode

Fürstenberg war bei einem Bekannten eingeladen, den er zu den »Steh-Christen«, das heißt den spät getauften, zählte. Der führte ihn durch sein kostbar eingerichtetes Haus. Damals gehörte es zum guten Ton, jedes Zimmer nach einem anderen Stil einzurichten. So schritt man denn durch das Biedermeier-Boudoir, durch das schwergeschnitzte Herrenzimmer, durch den Salon Louis XV. und durch das Chippendale-Eßzimmer, bis man in einen Raum gelangte, in dem nun doch allerlei Reste aus früheren Wohnungen durcheinander standen. Dem Hausherrn fiel nicht gleich der rechte Ausdruck ein, um dieses Gemach zu kennzeichnen. »Offenbar stammt es aus der vorchristlichen Periode«, bemerkte Fürstenberg.

Das Album

Man hat von Fürstenberg erzählt, er habe sich anläßlich eines Jubiläums von Bekannten und Verwandten Fotografien für ein großes Album erbeten, dieses seinem Portier überreicht und ihn angewiesen, von diesen Herrschaften niemanden vorzulassen. – »Si non e vero, e ben trovato.«

Der falsche Freund

Ein Besucher aus Wien ließ sich einfach nicht abweisen. Fürstenberg kannte ihn nur flüchtig dem Namen nach und schickte den Sekretär zu ihm hinaus. Der Herr insistierte: Er habe sehr wichtige Dinge aus Wien zu berichten. Als sich Fürstenberg schließlich ins Sprechzimmer begab, wurde er mit einer theatralischen Geste empfangen. »Unser gemeinsamer Freund Feilchenfeld (Leiter der Niederösterreichischen Escompte-Gesellschaft) hat mir gesagt, daß ich mich unbedingt an Sie wenden solle, wenn ich einmal etwas Wichtiges brauche.« Darauf Fürstenberg: »Da sieht man wieder, was der Feilchenfeld für ein falscher Kerl ist. Mir hat er gesagt, wenn der X sich jemals an dich wendet, schmeiß ihn raus.«

Wo sind die Toiletten?

An der Börse fragte Fürstenberg ein eiliger Fremder, wo die Toiletten seien. »Die gibt es hier gar nicht«, lautete die Antwort. »Hier besch..ßt jeder den andern.«

Wo sitzen die Nullen?

Von dem großen Arbeitszimmer des alten Herrn aus sah man eine benachbarte Großbank. In der schlimmsten Zeit der Inflation wurde dort heftig gebaut; nicht weniger als zwei Stockwerke sollten aufgesetzt werden. Man rechnete damals in Milliarden statt in Tausendern. Fürstenberg hatte einen Besucher, und beide Herren standen am Fenster und sahen sich das laute Treiben an. »Ist es eigentlich wahr«, so fragte der Gast, »daß Sie dieser Bank nachsagen, sie stocke auf, um die vielen zusätzlichen Nullen unterzubringen?« Das Wort stammte tatsächlich von Fürstenberg, aber schon hatte er etwas Neues gefunden: »Ich kann mir nicht denken, daß ich so etwas gesagt habe. Die Nullen sitzen doch im ersten Stock.« Da saß die Direktion.

Die Todesbotschaft

Ein Kollege kam Fürstenberg eines Morgens mit
ernster Miene bestürzt entgegen und sagte: »Wissen Sie, wer gestorben ist?« Fürstenberg sah ihn von
der Seite an: »Mir ist jeder recht.«

Der Titel

Vor Titeln hatte Fürstenberg eine gewisse Angst,
und doch wurden so viele um ihn herum Kommer-
zienräte, Bauräte, Justizräte, meist in der Hoffnung,
den höheren Rang eines Geheimen Kommerzienra-
tes zu erklimmen, um sich dann abgekürzt »Herr
Geheimrat« anreden zu lassen. Bald nach Beginn
seines großen Aufstieges bot ein Eingeweihter dem
jungen Fürstenberg einen Titel an, erhielt aber darauf die ablehnende Antwort, daß er den erwünsch-
ten Titel doch nicht beschaffen könne. »Das wollen
wir mal sehen«, rief der in seinem Ehrgeiz verwun-
dete Mittelsmann. »Ich meine Konsistorialrat«,
schmunzelte Fürstenberg.

Börsen-Allegorie

Ein bekannter Maler hatte den ehrenvollen Auftrag
erhalten, den Berliner Börsensaal an der Burgstraße
mit Wandgemälden zu versehen. Er fragte Fürstenberg um Rat, was er dort wohl hinmalen könne.
Kurz entschlossen gab der ihm zur Antwort: »Malen Sie doch hübsche Frauen, teils verschleiert,

teils nackt, das hat immer Erfolg.« Der Meister erwiderte, er solle allegorische Gemälde herstellen.
»Das paßt famos«, äußerte Fürstenberg. »Nennen
Sie das Bild mit den Schleiern ›Die verschleierte Bi-
lanz‹ und das Bild ohne Schleier ›Die nackte Pleite‹.«

Das Versuchs-Karnickel

Zu Fürstenbergs Pioniertätigkeit hat es gezählt,
daß er, zusammen mit der Baufirma Lenz & Co., die
Eisenbahnen in den deutschen Kolonien schuf.
Aber mit Geheimrat Lenz – in diesem Falle war es
ein Geheimer Baurat – war nicht immer gut Kir-
schen essen. Daran dachte der ausdauernde Zigar-
renraucher Fürstenberg, als er von einem Freunde
eine Kiste großer, schwarzer Zigarren erhielt. Sein
Sachbearbeiter, Geheimrat Boyé – diesmal ein rich-
tiger Geheimrat, der in die Bank übergetreten war
–, saß gerade bei ihm und besprach ein neues Kolo-
nialgeschäft in Erwartung eines Besuches von Lenz.
Fürstenberg spielte unaufmerksam mit den Zigarren. Dann folgte der Entschluß: »Wir wollen mal
lieber Lenz die erste rauchen lassen und dann zuse-
hen, was aus ihm wird.«

Der Landwirt

Zu dem Besitz in Kreuth gehörte ein Hühnerhof.
Eines Tages ließ Fürstenberg sich die Rechnungen
kommen, und die Hühner wurden alsbald verkauft.

Seinen Bekannten erklärte er: »Ich kann mir so manches im Leben leisten, aber eigene Eier... das denn doch nicht.«

Man hört es von weitem

Nach der Börse frühstückte Fürstenberg täglich in dem trefflichen kleinen Weinrestaurant Hupka in der Französischen Straße mit seinem engen Kreise von Stammgästen, die auch von der Burgstraße kamen. Ein Geheimer Kommerzienrat, der gern beim Essen schmatzte, war ihm eines Tages zuvorgekommen. Als Fürstenberg eintrat, verließ er schon das Lokal mit der Bemerkung, der Schweinebraten sei heute besonders gut. »Das habe ich schon im Entrée gehört«, antwortete Fürstenberg.

Nun geht's hinab

Ganz im Geiste Till Eulenspiegels war Fürstenberg nie so recht glücklich, wenn ein Hindernis mit großer Anstrengung genommen wurde. Wie oft hat er da gesagt: »Jetzt sind wir über den Berg, nun geht's hinab.«

Sparsame Wirtschaft

Fürstenberg hegte Sympathie und Bewunderung für den Begründer der AEG, Emil Rathenau. Der hatte es nach langen Kämpfen zu seiner großen Stellung gebracht, und ein Drang zur Sparsamkeit war ihm verblieben. Fürstenberg hatte häufig Sitzungen mit ihm in Zürich und behauptete, er müsse im Hotel Baur au Lac immer hinter ihm hergehen, um die Trinkgelder zu verteilen.

Auch beim Möblieren der AEG wurde spartanisch gewirtschaftet: Nichts durfte angeschafft werden, ohne daß der Herr des Hauses den Auftrag gegenzeichnete. Eines Tages wurde ein Aufsichtsrat von einer Herzschwäche befallen. Alles rief nach einer Chaiselongue, aber so ein Möbel war nicht aufzutreiben. Da habe dann Vater Emil wütend zu Fürstenberg gesagt: »Jeden Tag bewillige ich einem der Herren eine Chaiselongue, aber wenn ich mal eine brauche, ist natürlich keine da.«

Die Gefallenen

Die Damen, die sich professionell in der preußischen Hauptstadt einem lockeren Lebenswandel widmeten, erzählten mit Vorliebe ihren Liebhabern, daß sie in unvermutete Not geraten seien. Ihr Vater sei ein früh verstorbener Oberst gewesen. Fürstenberg nannte die ganze Gruppe: »Verein der gefallenen Offizierstöchter«.

Die Fahrt

Von der Börse ließ sich Fürstenberg von seinem langjährigen Kutscher Karl mit der Viktoria und zwei kräftigen Rappen abholen. Ein Bekannter, den er nicht mochte, erwischte ihn beim Einsteigen und rief: »Können wir nicht zusammen fahren?« Fürstenberg war bereits im Rollen und antwortete: »Schon beim bloßen Gedanken fahre ich zusammen.«

Die schlafen schon

Vor den Empfängen, die Frau Fürstenberg nachmittags zu geben pflegte, drückte sich der Gatte gerne bis gegen Schluß. Eines Tages wurde die Veranstaltung durch einen Vortrag von Ludwig Thoma verschönert. Der Salon war dicht besetzt, und Fürstenberg drängte sich von hinten durch eine Reihe jüngerer Herren herein, die am Eingang stehend plauderten und rauchten. »Ich bitte um Ruhe«, apostrophierte sie Fürstenberg. »Die Herrschaften vorn schlafen doch schon.«

Hühneraugen

Wenn man Fürstenberg ein allzu kompliziertes Geschäft vorschlug, wurde er ungeduldig. Bei einem solchen Gespräch sagte er zu einem Besucher: »Wissen Sie, wenn ich Ihnen folgen wollte, so würde ich mir künstliche Hühneraugen einsetzen.«

Der Unvorsichtige

Als ein großer Unternehmer ein Opfer einer habgierigen Ausnutzung der Inflation wurde, bemerkte Fürstenberg: »Wer soviel leiht, wie man ihm pumpt, der macht Pleite.«

Stacheldraht

Zum engeren Kreise gehörte der geistvolle und weitsichtige politische Journalist Maximilian Harden. Nur mit seinen verhedderten, langen und äußerst spitzigen Sätzen konnte Fürstenberg sich nie befreunden. »Er schreibt Stacheldraht«, bemerkte er.

Dienstlicher Befehl

Nach dem Kriege war Fürstenberg in den Aufsichtsrat der besten Bank in seiner alten Vaterstadt Danzig eingetreten, die nun von Deutschland getrennt war. Er hatte die Bedingung gestellt, daß auch sein Sohn dort eintrete.
Bei der ersten gemeinsamen Reise per Schlafwagen stellte sich heraus, daß der Vater einen besseren Sekretär besaß als der Sohn. Der erste hatte gewußt, daß ein polnisches Durchreise-Visum nach Danzig notwendig war, der zweite hatte es übersehen. – Als der Paßbeamte vor Küstrin im Schlafwagen erschien, ergab sich, daß Hans Fürstenberg von der preußischen Grenze aus nach Berlin zurückkreisen müsse.

Das paßte dem Alten nicht. In dem wallenden weißen Nachthemd, dem er treugeblieben war, ließ er den Beamten in seinem Abteil antreten. Nach einiger Zeit verließ dieser, offensichtlich erschöpft, das Abteil mit der kurzen Bemerkung, Hans könne weiterreisen. »Wie hast du denn das fertiggebracht«, fragte der Sohn den Vater. Der antwortete, in aller Einfachheit: »Ich habe ihm den ›dienstlichen Befehl‹ erteilt. Und der hat geantwortet: ›Ja, wenn es ein dienstlicher Befehl ist...‹ «

Der Aktionär

Bei der AEG hat Fürstenberg fast ein halbes Jahrhundert lang den Vorsitz geführt. Bei den Generalversammlungen meldete sich oft ein Minderheits-Aktionär zum Wort, häufte Fragen und Kritiken. Eines Tages erhob sich Fürstenberg von seinem Vorsitzenden-Sessel und sagte: »Ich eröffne die Generalversammlung der AEG und erteile hiermit Herrn X. das Wort.« Der blieb zum ersten Male schweigsam.

Die Urlaubsreise

Als die Kinder noch klein waren, wurden Sommerferien in Badeorten als unerläßlich angesehen, aber Fürstenberg überließ das gerne seiner Gattin. »Das kann ich viel einfacher haben«, sagte er. »Ich lasse einfach das Bett in ein Wohnzimmer stellen, schicke meine gute Köchin fort und lasse von dem

Hausmädchen kochen. Dann habe ich den gleichen Effekt.«

Der Abendstern

Nicht weit von dem Besitz Carl Fürstenbergs im Grunewald hatte sich ein schnell zu Vermögen gelangter Kaufmann ein großspuriges Haus gebaut. Fürstenberg hatte gegen ihn nichts einzuwenden, pflegte aber keinen gesellschaftlichen Verkehr mit ihm. So trafen sich denn die beiden nur gelegentlich auf frühen Spaziergängen im Grunewald. »Zu merkwürdig«, so bemerkte der Nachbar, »daß wir uns so selten sehen. Wir wohnen doch als Nachbarn.« Fürstenberg antwortete mit leichtem Schmunzeln: »Ich bin eben für Sie wie der Abendstern im ›Tannhäuser‹: Ich bin so nah und doch so fern.«

Der Vorleser

Als es mit den Augen nicht mehr so recht nach Wunsch ging, ließ sich Fürstenberg längere Schriftstücke vorlesen. Sein Sekretär Heilmann unterbrach eine solche Lektüre taktvoll, als er merkte, daß der alte Herr eingenickt war. Der wurde bald wieder wach, erkannte die Situation und sagte: »Damit das nicht wieder vorkommt, wollen wir mal beide eine Zigarre rauchen.«

Der Nabel

Ein großer Börsenkunde bat Fürstenberg häufig um
Rat, stellte auch tausend Fragen, handelte aber ganz
anders. Das ärgerte den alten Herrn. Als er wieder
einmal auf einen Rat angesprochen wurde, sagte er:
»Küssen Sie mir den Nabel.« »Aber das ist ja unver-
ständlich«, rief der entsetzte Kunde. »Gar nicht«,
antwortete Fürstenberg. »Sie tun ja immer das Gegenteil von dem, was ich sage.«

Der schlechte Ruf

Ein Börsianer, der sich geringen Ansehens erfreute,
versuchte Fürstenberg auf der Straße einzuholen
und erreichte ihn schließlich laufend. »Ich habe
doch laut genug nach Ihnen gerufen«, keuchte er.
»Sie haben eben keinen guten Ruf«, erwiderte
Fürstenberg.

Bankgeschichte

Als großen Finanzinstitut ohne Filialen war Fürstenbergs Berliner Handels-Gesellschaft eine Art
»Bank der Provinzbankiers« geworden. Viele von
diesen gingen in der Behrenstraße 32 ein und aus. Es
gab lange Gesichter, als eine seit Jahrhunderten be-
stehende Bankfirma ihre Zahlungen einstellte. »Es
ist alles nur eine Frage der Zeit«, lautete Fürstenbergs Kommentar.

Der Marcus-Platz

Der Buchhaltungschef der Bank, Herr Marcus, waltete getreulich seines Amtes. Während der Betrieb immer mehr wuchs, wurde er alt und schwerhörig. Da ließ er sich im Mittelpunkt der langen Arbeitsräume an der Französischen Straße eine Art Glasverschlag errichten, von dem aus er die Arbeit der Buchhalter am besten zu überblicken glaubte. Diesen Raum nannte Fürstenberg den Marcus-Platz. Er fügte erläuternd hinzu: »Da werden die Tauben auf Staatskosten gefüttert.«

Das Modell

Ein anderes bissiges Wort hatte ihm die Abneigung Max Liebermanns eingetragen. Der Meister fand es nicht unter seiner Würde, die Bildnisse reicher und nicht immer schöner Geschäftsleute zu malen, gegen hohe Honorare. Fürstenberg hielt einige dieser Porträts für arge Karikaturen. Liebermann aber interessierte sich für Fürstenbergs großartigen Schädel und seine klugen Augen und ließ sondieren, ob der Bankier ihm nicht sitzen wolle. Die Antwort lautete: »Ich sitze nur, wenn ich es nicht mit Geld abmachen kann.«

Der Messias

Walther Rathenau wurde von Fürstenberg geliebt, aber das schützte ihn nicht vor spitzen Bemerkun-

gen. Als er gar eine Art Predigt unter dem Titel
»Höre, Israel« erscheinen ließ, meinte Fürstenberg:
»Jesus im Frack«.

Das Jubiläum

Ein Kollege war seit zehn Jahren in der Bank tätig,
und Fürstenberg wurde im Hinblick auf eine Ova-
tion diskret darauf aufmerksam gemacht. »Im
nächsten Jahre sind es elf«, lautete die Antwort.
»Aber sagen Sie es nicht weiter.«

Der Freund

Als Fürstenberg in seine Villa im Tiergartenviertel
als junger Ehemann einzog, wurde der Haushalt zu-
sammengestellt, der Diener Theodor waltete seines Amtes, und ein geeignet erscheinender Portier
sollte seinen Einzug halten.
Tatsächlich erschien er, aber schwer betrunken,
mit Hab und Gut. Die drei Hüte, die er besaß, hatte
er sich, den einen über den anderen, auf das Haupt
gestülpt. Fürstenberg, der häusliche Szenen haßte,
versuchte, ihn gütlich loszuwerden. »Se wissen jar
nicht, was Se an mir verlieren«, grölte der Portier-
Kandidat, »in mir hätten Se 'nen Freund besessen.«
»Ja, wissen Sie«, antwortete Fürstenberg, »eigentlich suche ich einen Portier, einen Freund besitze
ich nämlich schon.« »Na denn...«, murmelte der
andere kopfschüttelnd und verschwand.

Der dritte Akt

Fürstenberg und Frau waren ungleiche Theater- und Opernliebhaber, aber leider hatten sie nicht die gleichen Vorlieben. Während Fürstenberg sich hauptsächlich für Mozart-Opern interessierte, hatte seine Gattin einen »modernen« Geschmack, der sie – oh, Schrecken – Richard Wagner anbeten ließ. Er ging mit seiner Frau ins Theater, nicht aber ohne im voraus zu bemerken: »Ich höre, daß der letzte Akt sehr abfällt«, worauf die Gattin antwortete: »Du kannst es nur nicht aushalten, daß andere so lange reden.«

Das Zwiegespräch

Einst fuhr Fürstenberg nach St. Petersburg, um über eine russische Staatsanleihe zu verhandeln. Die Firma Mendelssohn interessierte sich für das gleiche Geschäft, und Herr Loeb machte die lange Rückreise zusammen mit Fürstenberg. Am nächsten Tage drängten sich die Wißbegierigen an der Börse um sie und wollten wissen, zu welchen Schlüssen sie gekommen seien. Der Teilhaber von Mendelssohn erklärte ironisch, er könne nur Fürstenbergs Ansichten zum besten geben, denn der habe ihn nicht zu Worte kommen lassen. Fürstenberg aber erwiderte gelassen: »Wenn er sich nicht in einer Kurve vor Frankfurt an der Oder verschluckt hätte, wäre ich gar nicht zum Sprechen gekommen.«

Die große Zeit

In den ersten Tagen des Weltkrieges von 1914 herrschte in Berlin helle patriotische Begeisterung. »Nicht wahr«, sagte ein Besucher zu Fürstenberg, »wir leben doch wahrhaft in einer großen Zeit.« Nach kurzem Nachdenken kam die Erwiderung: »Groß, aber mies.«

Rheinsalm

Einst war das Ehepaar in Innsbruck bei einem Geschäftsfreund zum Abendessen geladen. Als das Hotel verlassen war, ging Fürstenberg mit seinem unfehlbar falschen Ortssinn in die Irre: das Ehepaar hatte sich verlaufen.
Da kam ein Junge vorüber, der auf einem riesigen Tablett einen kunstvoll dekorierten Rheinsalm vorbeitrug. Sogleich heftete sich Fürstenberg an seine Fersen, denn er behauptete, in Innsbruck könnten unmöglich am gleichen Abend zwei Rheinsalme serviert werden. So ging es durch Sträßchen und Gassen, schließlich auch eine Stiege hinauf, bis das Ehepaar in der Wohnung ihres Gastgebers stand. Sie waren allerdings über die Hintertreppe in die Küche gelangt.

Parforcejagd

Die Parforcejagden, die Herr v.F. in seinem Schloß eingeführt hatte, waren Fürstenberg ein Dorn im

Auge. Die Herren Gardeoffizieren waren da immer an der Spitze. Ursprüngliche Glaubensgenossen des Gastgebers folgten mit weitem Abstand. Fürstenberg nannte das Ganze: »Die Christenverfolgung«.

Die guten Geschichten

Eine Tischdame fragte Fürstenberg eines Tages, welche der vielen unter seinem Namen umlaufenden Anekdoten wirklich von ihm seien. »Das ist ganz einfach, gnädige Frau«, lautete Fürstenbergs Antwort: »Die guten sind von mir.«

Don Juan

Louis H. hielt sich noch in älteren Jahren für unwiderstehlich. Eines Tages erzählte er Fürstenberg von einer bezaubernden Eroberung, die er im Hotel Adlon gemacht habe. Er sei wie ein Jüngling gewesen, die Schöne sei bald in seine Arme gesunken... und dann wieder ... und dann wieder... und dann wieder. Fürstenberg unterbrach ihn erbost: »Bitte schwindeln Sie nicht, Louis. Sie waren doch im ganzen nur zehn Tage in Berlin.«

Jubiläums-Wechsel

Den Vorschriften gemäß soll ein Handelswechsel sich in drei Monaten abwickeln. Gute alte Kunden von Fürstenbergs Bank reichten dann wieder ent-

sprechende Wechsel ein. Eines Tages klagte der
Chef der Wechselabteilung über solche Sitten,
Fürstenberg belehrte ihn jedoch: »Mir sind die Jubi-
läums-Wechsel am liebsten, die die 25 Jahre lau-
fen.«

Unzuverlässiges Personal

Als Carl Fürstenberg die Geschäfte der Bank auf die
Länder der Donaumonarchie zu erstrecken
wünschte, nahm er zuerst eine Berufung in den
Verwaltungsrat der Union-Bank in Wien an. Deren
Präsident, Herr Minkus, war ein witziger Mann.
Nach einer Reihe von Jahren mußte Fürstenberg
feststellen, daß seine Zugehörigkeit zur Union-
Bank kein Geschäft auslöste. Die Freundschaft
blieb platonisch. Er verabschiedete sich, und Minkus war recht mißvergnügt, als Fürstenberg nach
einiger Zeit in die Niederösterreichische Escompte-Gesellschaft eintrat. Es kam zum Bruch.
Eines Tages ging Fürstenberg an der Union-Bank
vorbei und wurde von dem alten Pförtner erspäht.
Mit schönstem Wiener Sentiment beklagte er, daß
Fürstenberg sich nicht mehr sehen lasse. Fürstenberg erwiderte, daß der Präsident Minkus ihn nicht
mehr zu sehen wünsche. »Aber nein«, beschwor
ihn der Portier, »der Herr Präsident würden sich
ganz schrecklich freuen.«
Da mußte Fürstenberg lachen und sagte sich:
»Warum nicht?« Er ließ sich von dem Pförtner führen, und siehe da, Präsident Minkus empfing ihn
ohne das geringste Warten. Nun wußte Fürstenberg

nicht recht, wie er die Unterhaltung eröffnen sollte. Er sei eigentlich gar nicht auf Besuch gekommen, erklärte er, sondern der alte Pförtner habe ihm liebevoll versichert, der Präsident werde sich freuen. Ohne Zögern kam die Antwort: »Da sieht man wieder einmal, wie man sich heutzutage aufs Personal verlassen kann.«

Der Handelsminister

Ein Witzwort Fürstenbergs stammte aus der Zeit, wo er, als Finanzberater von Kirdorf und anderen Ruhr-Magnaten, seinen aufregenden Kampf gegen den Erwerb der Kohlenzeche Hibernia seitens des preußischen Staates führte. Damals gehörte Mut dazu. Fürstenbergs Gegenspieler war der preußische Handelsminister von Möller. Fürstenberg erklärte, der Handelsminister sei der Blinddarm im preußischen Wirtschaftsleben. Das wurde zum geflügelten Wort und trug zum Erfolg bei.

Die Sachverständigen

Fürstenberg bewunderte stets von neuem, wie sich an der Effektenbörse, deren täglicher Besucher er war, aus so vielen falschen Ansichten häufig eine richtige »Tendenz« entwickele. Von einem Börsianer behauptete er einmal: »Wenn Sie ihn etwa nach der Metallfirma ›Capito & Klein‹ fragen, wird er Ihnen wahrscheinlich antworten, das sei doch die bekannte Kleinbahnlinie von Capito nach

Klein; aber falls er Ihnen den Kauf der Aktien emp-
fiehlt, so steigen sie.«

Man atmet auf

Als Byrd den Südpol entdeckte, war das auch für die
Berliner eine Sensation. Ein Kollege Fürstenbergs
stürzte in dessen Arbeitszimmer, um ihm die
Kunde zu melden. »Na, da sind wir wieder um eine
Sorge ärmer geworden«, erwiderte der Senior.

Der Fehlbetrag

Anläßlich einer Anleihe war Fürstenberg eines
Abends bei einem ausländischen Finanzminister
zu Gast und hatte die Ehre, neben dessen Gattin zu
sitzen. »Wie war es«, fragte ihn ein neugieriger Bekannter. »Er war sehr leutselig«, antwortete
Fürstenberg. »Und sie?« – »Ja, sie hatte eine Tüll-
robe an, und ich wunderte mich darüber, wie sehr
das dem letzten Budget glich: ein verschleierter
Fehlbetrag.«

Die Bekanntschaft

Ein Freund erkundigte sich bei Fürstenberg nach
einem Herrn, der von ihm so gesprochen hatte, als
stehe er zu ihm in näherer Beziehung. Der alte Herr
schüttelte heftig ablehnend den Kopf: »Nein, den
kenne ich nur vom Wegsehen.«

Die Auskunft

Fürstenberg kannte einen reichen Provinzbankier und seine nicht gerade reizvolle Tochter. Eines Tages kam von dem eine im Geschäftston gehaltene Anfrage. Es wurde um Auskunft über den jungen Grafen B. gebeten und ob er sich als Gatte für die Tochter eigne. Da antwortete Fürstenberg: »Wie wir von zuverlässiger Seite erfahren, ist Graf B. aus erstem Hause, gut aussehend, begabt und begütert. Mit anderen Worten: er nimmt Ihr Fräulein Tochter nicht. SE et O.«

Das junge Paar

Über ein gewisses Paar wurde eine Zeitlang in Berlin viel geklatscht: Die einen meinten, das Paar werde demnächst die Ehe schließen, andere verneinten es, wieder andere behaupteten gar, sie seien schon verheiratet. Fürstenberg versuchte, den Streitfall zu klären, und bemerkte: »Die sind so schlecht wie verheiratet.«

Das Begräbnis

Fürstenberg lachte gerne, und wenn er es zu unterdrücken suchte, riskierte er einen Lachanfall. Eines Tages mußte er als Vertreter der Bank zu einem Begräbnis fahren und ließ sich überreden, einen in gleicher Lage befindlichen Kunden, einen Autohändler, mitzunehmen. Beide hatten den Verstorbenen kaum gekannt, so daß Fürstenberg aufschaute, als der Händler inmitten der Zeremonie zu weinen begann: »Nun wird er den bestellten Adler-Wagen (die gab es damals) nicht abnehmen«, schluchzte er. Fürstenberg versuchte sein Lachen zu unterdrücken und verließ rechtzeitig den Saal.

Verspätung

Fürstenberg hatte einen Freund, der immer zu spät kam. Er konnte einfach nicht pünktlich erscheinen. »Der ist eine Stunde zu spät auf die Welt gekommen«, kommentierte Fürstenberg.

Der Stuß

Für unpraktische Idealisten fehlte Fürstenberg das rechte Verständnis. Er war ein Realist und faßte seine Kritik kurz zusammen: »Die glauben an ihren eigenen Stuß.«

Chorgesang

Wenn Fürstenberg sich über ein »offenes Geheimnis« lustig machen wollte, zitierte er gerne den Chorgesang aus einer berühmten Oper (ich glaube, es waren Meyerbeers »Hugenotten«). Der Text lautete: »Nur leise, nur leise, leise, leise, nur leise, nur leise, leise, leise usw. ..., damit uns keiner hört.«

Der Landsitz

Fürstenberg führte ein Tischgespräch mit seiner Gastgeberin, die er zur Tafel geleitete. In der Unterhaltung äußerte sie, daß sie sich einen Landsitz wünsche, keinen großen, nein, gewiß nicht, wohl aber einen perfekten. »Mit anderen Worten: ein Marmor-Chalet« kommentierte Fürstenberg.

Veilchen

Der Leiter der Großbank »Niederösterreichische Escompte-Gesellschaft« hieß Feilchenfeld. Eines Tages hatte sich Fürstenberg dazu verleiten lassen, mit einem Freund die alljährliche »Große Kunstausstellung« in der Nähe des Lehrter Bahnhofs zu besuchen. Er langweilte sich. Vor einem romantischen Gemälde las der Begleiter aus dem Katalog vor: »Veilchenfeld an der Küste von Sorrent«. »Unsinn«, sagte Fürstenberg, ohne aufzublicken, »der ist in Wien.«

Vermöbelt

Ein alter Bekannter von Fürstenberg, Freiherr v. E., heiratete eine reiche englische Erbin, die Tochter des großen Möbelfabrikanten Maple, dessen Firma noch heute gedeiht. Die Ehe verunglückte bald. Der Baron begann, die Erbin zu schlagen, und die ließ sich scheiden. Als Fürstenberg eines Tages gefragt wurde, warum die Ehe auseinanderging, antwortete er: »Kein Wunder, er hat sie vermapelt.«

Die Flucht

Ein reicher jüdischer Freund erzählte Fürstenberg, daß er im Winter immer nach Ägypten reise, um dort im kostspieligen Katarakt-Hotel in Assuan zu wohnen. »Komisch«, erwiderte Fürstenberg, »früher habt ihr doch die größte Mühe gehabt, aus Ägypten zu fliehen.«

Der Lebemann

Bei passender Gelegenheit zitierte Fürstenberg gern die folgende Geschichte: »Ein Lebemann läßt sich vom Arzt untersuchen. Der macht ein ernstes Gesicht und sagt: »Sie müssen von jetzt an ruhig leben. Mit Wein, Weib und Gesang müssen Sie aufhören.« Einige Wochen später stellt sich der Patient wieder vor und wird gefragt, ob er die Anordnung befolgt habe. »Gewiß, Herr Doktor«, lautete die Antwort. »Ich habe mit dem Gesang Schluß gemacht.«

Auskunft

Ein Großkaufmann neueren Datums wurde in Berlin bulgarischer Generalkonsul, rühmte sich der Gunst seines Monarchen und bot Fürstenberg sogar an, ihn bei diesem einzuführen. Eines Tages mußte Fürstenberg eine Balkan-Reise machen und nahm an. Huldvoll empfing Ferdinand die Besucher, aber als die Audienz vorbei war, zog er Fürstenberg in eine Ecke und fragte: »Können Sie mir nicht sagen, wer der Mensch ist?«

Der Theatername

In Börsenkreisen unterhielt sich Fürstenberg über einen Herrn Nebelzahl. »Komischer Name«, bemerkte einer der Anwesenden und fügte hinzu: »An seiner Stelle würde ich mich umbenennen.« »Aber das ist doch schon sein Theatername«, erwiderte Fürstenberg.

Die ältere Linie

Bei den Fürsten Hohenlohe und Fürstenberg waren die Finanzen in Unordnung geraten, und es wurde gar von einem »Fürstenkrach« gesprochen. S.M. ließ Fürstenberg kommen und beauftragte ihn, bei seinem fürstlichen Namensvetter nach dem Rechten zu sehen. »Sind Sie eigentlich mit dem verwandt?« wurde Fürstenberg von einem Neugierigen gefragt. »Das nicht« lautete die Antwort, »wir sind die ältere Linie.«

SCHLUSSWORT

Die meisten Berliner stammten damals nicht aus Berlin. Der Glanz der Hauptstadt hatte viele angezogen, aus Breslau, aus Posen, aus allerlei Provinzen und auch, wie bei Fürstenberg, aus Danzig. Fürstenberg war dann mit der Zeit ein guter Berliner geworden. Er liebte die Altstadt, wo er die Bankgebäude errichten ließ, den Tiergarten, wo er in der Viktoriastraße eine schöne von Hitzig erbaute Villa sein eigen nannte, den Grunewald, dessen Wohnviertel er zu erschließen half, während er den Wald auf unzähligen Wanderungen erforschte, die ihn bis zur Havel führten. Wie es einem guten Berliner geziemt, liebte er auch Potsdam und hat dort vor seiner Eheschließung auf dem Pfingstberg gewohnt, aber er sprach kein Berlinerisch; und sein Esprit war nicht berlinerisch.

Oder gehört dies zu den jüdischen Witzen? Fürstenberg war sich seiner Abstammung stets bewußt. Treu und fromm pilgerte er jährlich nach Danzig zum Grabe der Eltern, und sein Glaube an eine höhere, göttliche Macht war unerschütterlich, aber er war konfessionslos.

Über die besondere Eigenart des jüdischen Witzes, der einst soviel Salz in den grauen deutschen Alltag gebracht hat, ist gerade in den letzten Jahren viel geschrieben worden. Mir scheint es etwas grausam, Witz zu analysieren.

Nein, Fürstenbergs Aussprüche sind überhaupt keine Witze. Es sind Bonmots eines unermüdlichen Causeurs, der seine Effekte gern zugespitzt, kurz, widerspruchsvoll vorbrachte, mit einer inneren

Gelassenheit und nicht ohne ein Gefühl der Über-
legenheit, die aber niemals in Überheblichkeit aus-
artete. Und gerade deshalb wirkte sein Esprit komisch. In Ermangelung einer besseren Definition
kommen wir zu dem Schluß, daß es eben Fürstenberg-Anekdoten waren.

Vom gleichen Autor

Biographische Werke

Carl Fürstenberg, Lebensgeschichte eines deutschen Bankiers, Ullstein-Verlag, dann Econ Verlag
Erinnerungen an Walther Rathenau, erschien mit Graf Kesslers:
Walther Rathenau, Rheinische Verlagsanstalt
Hans Fürstenberg, Mein Weg als Bankier, Erinnerungen I. Teil, Econ Verlag

Andere Schriften

Philosophische Werke bei Edition Plon, Editions du Rocher, Econ Verlag
Bibliographische Werke bei Hauswedell, Gesellschaft der Bibliophilen
Ästhetik bei Econ Verlag, L'Art en Normandie
Wirtschaft bei Springer-Verlag

HANS FÜRSTENBERG
EINFÜHRUNG IN DIE ÄSTHETIK
96 Seiten, broschiert

Professor Hans Fürstenberg konzentriert diese Einführung in die Ästhetik auf die Malerei und zeigt die Normen für alte und neue Kunst auf. Er kennzeichnet die Moderne als eine von der Tradition der Renaissance losgelöste Malerei, die auf Raum und Perspektive verzichtet, sich reiner und heller Farben bedient. Dabei läuft aber gerade die moderne Malerei Gefahr, dem Subjektivismus und Manierismus zu verfallen. Alte Kunst beruht auf Geometrie der Formen und Komplementarität der Farben. Ein tiefes Eindringen in die Natur bleibt Voraussetzung aller Kunst.

DIALEKTIK DES XXI. JAHRHUNDERTS
Ein Diskurs. Der neue Weg des Denkens von der Atomphysik bis zu den Wissenschaften vom Menschen
128 Seiten, gebunden

»Fürstenbergs Studie ist ein waches Zeugnis der Vernunft, das dem aufmerksamen Zeitgenossen interessante Erkenntnisse vermittelt.«
Süddeutscher Rundfunk

ERINNERUNGEN
Mein Weg als Bankier und Carl Fürstenbergs Altersjahre
303 Seiten, 20 Abbildungen, 1 Brieffaksimile, gebunden

ECON Verlag, Postfach 300321, 4000 Düsseldorf 30

Hans Kasper
MITTEILUNGEN ÜBER DEN MENSCHEN
Beobachtungen eines Lebens
216 Seiten, gebunden

»Ein recht originäres kleines Brevier, erfüllt von
Heiterkeit, aber auch von Aussagen, die manchem
Zeitgenossen gegen den Strich gehen dürften. Kasper ist ein unbequemer Denker, und was er aus seiner Sicht über den Menschen sagt und denkt, ist
eine ganze Menge. Man hat ihn mit Lichtenberg
verglichen. Da ist was Wahres dran. Indes, Hans
Kasper ist ein Zeitgenosse, der in seinen ›Thesen
gegen die Zeit‹ u. a. schreibt: ›Die Freiheit ist ein
Segel – prall im Sturm der Sehnsucht, schlaff in der
Windstille der Gewohnheit.‹ Man sollte sich Kas-
pers Beobachtungen zum Geschenk machen.«
Hamburger Abendblatt

ECON Verlag, Postfach 300321, 4000 Düsseldorf 30

Inge und Siegfried Starck
SOKRATES FÜR MANAGER
120 Seiten, gebunden

Schon die Philosophen, Schriftsteller und Staats-
führer der Antike kannten Managementprobleme
– nur nannte man es damals anders. Ihre Lebens-
weisheit und Lebenserfahrung haben gerade heute
wieder einen ungemein aktuellen Wert. Hier wird
auf vergnügliche Weise dargeboten, was Jahrtau-
sende überdauert hat:
Sentenzen, Aphorismen und Geistesblitze nach
heute üblichen Managementsbegriffen wie Füh-
rungseinmaleins, Betriebspsychologie, Unterneh-
mensplanung, soziales Umfeld u. v. a. m. geord-
net. Wer sich nicht scheut, sich durch uralte Le-
bensregeln anregen zu lassen, sollte sich dieses
Buch schenken – und weiterschenken!

ECON Verlag, Postfach 300321, 4000 Düsseldorf 30